구강내과학 제6편

구강내과학 실습서

ORAL MEDICINE

집필진 AUTHORS

ORAL MEDICINE

강수경 경희대학교 치과대학
강진규 원광대학교 치과대학
고홍섭 서울대학교 치의학대학원
권정승 연세대학교 치과대학
김문종 서울대학교 치의학대학원
김미은 단국대학교 치과대학
김병국 전남대학교 치의학전문대학원
김성택 연세대학교 치과대학
김영준 강릉원주대학교 치과대학
김재형 전남대학교 치의학전문대학원
김지락 경북대학교 치과대학
김 철 강릉원주대학교 치과대학
김혜경 단국대학교 치과대학
박문수 강릉원주대학교 치과대학
박연정 연세대학교 치과대학
박지운 서울대학교 치의학대학원
박현정 조선대학교 치과대학
박희경 서울대학교 치의학대학원
변진석 경북대학교 치과대학
서봉직 전북대학교 치과대학
심영주 원광대학교 치과대학
안용우 부산대학교 치의학전문대학원

구강내과학 제6편

구강내과학 실습서

ORAL MEDICINE

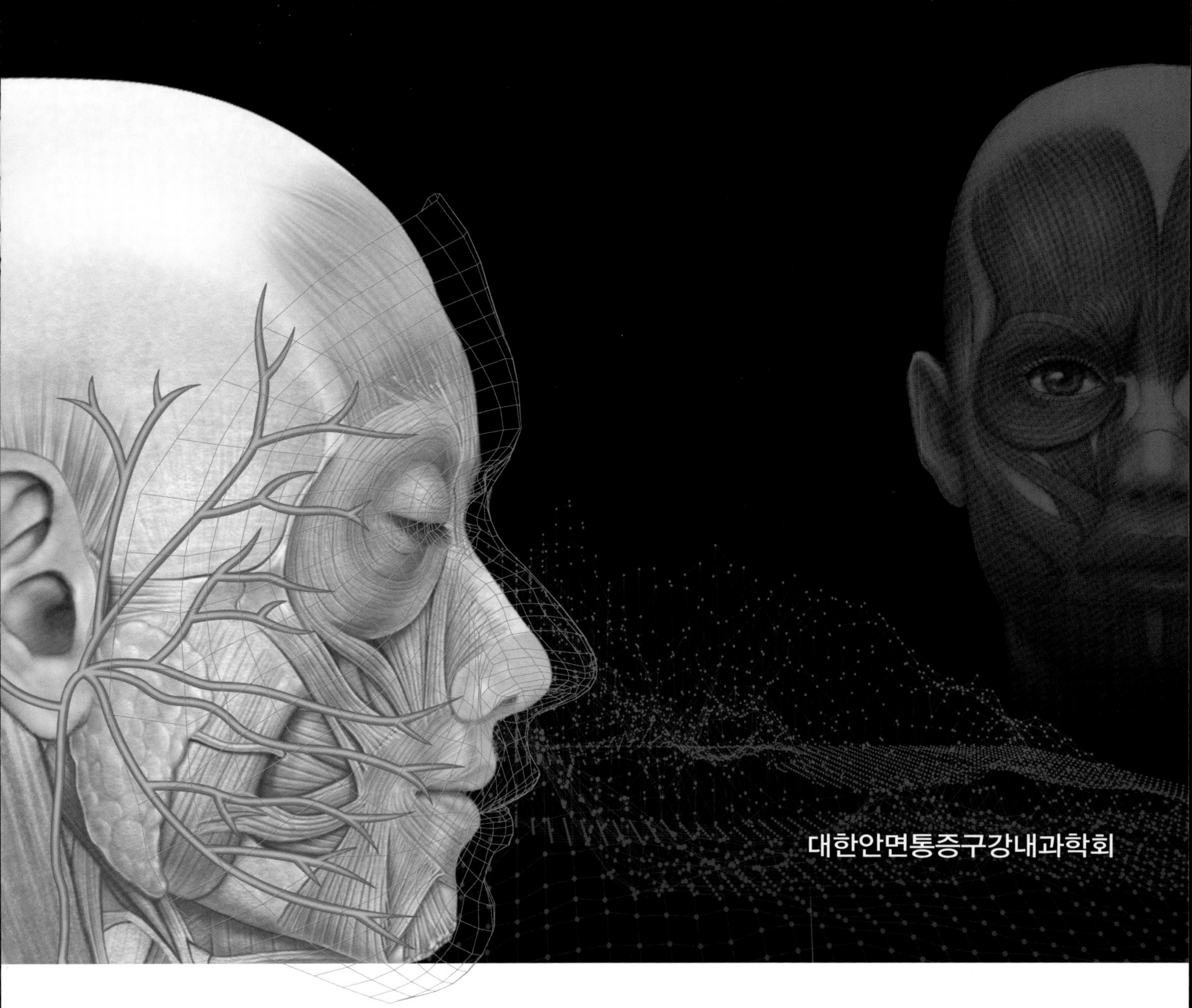

구강내과학 실습서

첫째판 1쇄 인쇄 | 2021년 9월 15일
첫째판 1쇄 발행 | 2021년 9월 30일

지 은 이 대한안면통증구강내과학회
발 행 인 장주연
출판기획 한수인
책임편집 이경은
편집디자인 양란희
표지디자인 양란희
일러스트 유학영
발 행 처 군자출판사(주)
등록 제 4-139호(1991. 6. 24)
(10881) **파주출판단지** 경기도 파주시 회동길 338(서패동 474-1)
전화 (031) 943-1888 팩스 (031) 943-0209
www.koonja.co.kr

ISBN 979-11-5955-758-3

정가 30,000원

안종모 조선대학교 치과대학

안형준 연세대학교 치과대학

어규식 경희대학교 치과대학

옥수민 부산대학교 치의학전문대학원

유지원 조선대학교 치과대학

이경은 전북대학교 치과대학

이연희 경희대학교 치과대학

이유미 원광대학교 치과대학

임영관 전남대학교 치의학전문대학원

임현대 원광대학교 치과대학

장지희 서울대학교 치의학대학원

전양현 경희대학교 치과대학

정성희 부산대학교 치의학전문대학원

정 원 전북대학교 치과대학

정재광 경북대학교 치과대학

정진우 서울대학교 치의학대학원

조정환 서울대학교 치의학대학원

주혜민 부산대학교 치의학전문대학원

최재갑 경북대학교 치과대학

최종훈 연세대학교 치과대학

(가나다 순)

머리말

PREFACE

ORAL MEDICINE

구강내과학이란 구강과 구강주변 조직에서 발생하는 질환에 대해 내과적인 치료 원리를 적용하여 손상된 구강 및 안면 부위의 기능을 회복시키고 전신적인 건강을 유지하는 데 도움을 주는 학문입니다. 내과적 치료법이 주로 적용되는 구강내과학의 주된 분야는 턱관절질환 및 구강안면통증, 구강안면 부위의 운동장애 및 감각장애, 이갈이, 코골이 및 수면무호흡증과 같은 수면과 관련된 구강질환, 다양한 구강점막질환, 타액선 질환, 구취, 미각장애 등이 있으며, 구강내과학의 응용분야로서 법치의학과 레이저 치의학 분야까지도 포함됩니다.

오늘날 구강내과학은 기초 및 임상 치의학 분야에서 가장 빠르게 발전하는 분야 중 하나이며, 특히 의생명과학의 발달로 노인 인구 및 전신질환을 가진 환자의 수가 급격히 증가됨에 따라 앞으로 더욱 주목받는 학문이 될 것으로 예상됩니다. 또한 새로운 신약의 개발과 생명공학적 치료기술의 발달로 구강내과학의 임상적 영역은 더욱 확대될 것으로 보입니다.

그러나 치의학을 공부하는 학생들과 치과의사들에게 구강내과학은 아직 다소 공부하기가 어렵고, 진료 현장에서 활용하기가 쉽지 않은 분야로 느껴지고 있는 것도 사실입니다.

이에 본 학회에서는 전국의 구강내과학 교수님들과 뜻을 모아 치의학을 공부하는 학생들과 치과의사들에게 구강내과학을 쉽게 배우고 받아들이며, 진료 현장에서 실제적으로 활용하는 데 도움을 주고자 이 책을 출간하게 되었습니다.

특히 2022년부터 치과의사 국가시험에 새롭게 실기시험이 도입되면서 구강내과학 분야에 있어서도 표준화된 임상실기 가이드라인의 필요성이 요구되고 있는 만큼 이 책이 치과대학의 교육 현장에서 교수님들과 학생들에게 표준화된 '구강내과학 임상실기 지침서'로서 널리 활용되기를 기대합니다.

바쁘신 중에도 이 책의 집필을 위해 많은 노고와 수고를 해주신 전국의 치과대학 교수님들께 진심으로 존경과 감사를 드리며, 특히 강수경 교수님, 권정승 교수님, 김혜경 교수님, 박문수 교수님, 변진석 교수님, 유지원 교수님, 이경은 교수님, 임영관 교수님, 임현대 교수님, 정성희 교수님, 정재광 교수님, 조정환 교수님, 출판을 위해 수고해주신 군자출판사의 한수인님, 이경은님, 연세대학교 치과대학 구강내과학교실의 김희연님께도 깊은 감사의 마음을 드립니다.

2021년 9월

구강내과학 실습서 편찬위원장

저자 대표 안 형 준

목차 CONTENTS

ORAL MEDICINE

ORAL MEDICINE

구강내과학

CHAPTER 01

환자 면담, 병력 청취 및 기본검사

ORAL MEDICINE

환자 면담, 병력 청취 및 기본검사

환자 내원 시 문진 필요한 사항

● **기본적 요소**

1. 환자에게 인사 및 자신의 소속을 밝힌다.
2. 환자의 인적사항을 확인한다. – 이름, 생년월일 ➡ 정보에 있더라도 확인 필수

환자 병력 청취 질문 예시	
	1. 오늘 병원에 무엇 때문에 오셨나요? **2.** 증상이 있는 부위가 어디인가요? **3.** 언제부터 증상이 시작되었나요? **4.** 증상과 연관이 있는 사건이 있었나요? **5.** 시간이 지나면서 증상이 어떻게 변화되었나요? **6.** 한 번 아프면 얼마나 오래 지속되나요? **7.** (통증이 있는 경우) 증상의 강도는 어떠한 가요? **8.** (통증이 있는 경우) 증상에 대하여 어떠한 양상으로 표현할 수 있나요? **9.** 연관된 증상(국소적, 전신적)이 있나요? **10.** 증상을 악화시키는 원인이 있나요? **11.** 증상을 완화시키는 원인이 있나요? **12.** 증상 때문에 다른 병원을 다녀오신 적이 있나요? **13.** 최근 1, 2년 동안 치과치료를 받으신 적이 있나요? **14.** 치과치료 시 마취할 때나 발치하였을 때 문제가 있었던 적이 있나요? 있다면 어떤 문제가 있었나요? **15.** 현재 의과적인 질병이 있거나 수술을 받은 적이 있나요? **16.** 약을 복용하고 부작용이 생긴 적이 있나요? **17.** 평소 흡연 또는 음주를 얼마나 하시나요?

1 환자 병력 청취

1. 환자 병력의 구성요소

1) 주소(Chief complaint)

환자가 치과에 내원한 이유에 대한 다양한 형태의 표현을 그대로 기록한다.

2) 주소에 대한 병력(History of chief complaint)

주소와 연관하여 나타나는 일련의 사건을 확인하여 기록한다.

3) 의학적 병력(Past medical history)

과거에 경험했던 질병이나 수술 등의 경험, 환자가 갖고 있는 질병과 복용하는 약물을 기록한다.

4) 가족 병력(Family history)

증상과 연관된 질병에 대한 환자 가족의 과거력을 확인하여 기록한다.

5) 기타 병력(Other Histories)

음주/흡연, 약물 알러지 등을 확인하여 기록한다.

2. 효과적인 의사소통을 위한 병력 청취

1) 자신 소개

"안녕하세요 OOO입니다." ➡ 자기 소개는 신분과 이름을 밝히는 것을 원칙으로 한다.

2) 환자 본인 확인

"본인 확인하겠습니다."

"이름과 병원 등록번호를 알려주세요."

"등록번호를 모르시면 생년월일을 알려주세요."

3) 상담 환경 조성

환자와 눈을 맞추면서 편안한 분위기를 조성한다.

4) 주소에 대한 질문

(1) 설문형 질문(개방형 질문)

① 초기 질문으로 유도형이나 폐쇄형 질문은 삼간다.

② 환자가 자유롭게 의견을 표현할 수 있도록 개방형으로 상담을 시작한다.

예 "어디가 어떻게 불편하셔서 오셨나요?"

(2) 주의 깊게 청취한다.

침묵, 중립적 어조, 비언어적인 지지, 환자와 눈 맞추기

(3) 환자의 말을 중간에 자르지 않는다.

(4) 비언어적 단서, 신체적인 특징 등에서 부가적인 정보를 얻는다.

5) 주소에 대한 병력 청취

- 전문용어는 사용하지 말고 환자가 쉽게 인지하는 용어를 사용한다.
- 한 번에 한 가지 질문만 한다.
- 답을 유도하는 질문은 하지 않는다.
- 적당한 속도로 말한다.

(1) 발병일, 빈도, 지속기간

- "언제부터 아프셨나요?"/ "언제부터 증상이 시작되었나요?"
- "증상 발생 이후에 현재까지 증상이 지속되고 있나요? 아니면 없어졌다가 다시 생겼나요?"
- "한번 아프면 얼마나 오래 지속되나요?"
- "얼마나 자주 아프신가요?"

(2) 통증의 강도와 특징

- "얼마나 많이 아프신가요?"
  ➡ 상상할 수 있는 최대한의 통증을 10으로 하고 전혀 아프지 않은 것을 0으로 할 때, 0부터 10 내에서 숫자로 표현한다.
- "어떻게 아프신가요?"
  ➡ 환자 증상 표현 시 환자에게 익숙한 표현, 과거의 환자의 경험에 비추어 느낄 수 있는 단어, 즉 칼에 베거나 찔렸을 때, 눌리는 느낌, 치아가 아팠을 때처럼 등의 단어를 사용한다.

(3) 위치와 전이

- "어디가 아프신가요?"/ "아픈 부위를 가리켜 보세요."

※ 가능한 추가 질문
- "특정 부위에 국한되어 있습니까?"
- "시간에 따라 변하지는 않나요?"

(4) 완화 조건/악화 조건

- "어떻게 하면 더 아파지나요?"/ "어떻게 하면 통증이 심해지나요?"
- "어떻게 하면 아픈 것이 나아지나요?"/ "어떻게 하면 증상이 나아지나요?"

(5) 치료의 경험

- "치료를 받아본 적이 있습니까? 그렇다면 효과가 있었나요? 아니면 나빠졌나요?"

(6) 시간에 따른 경과

- "시간이 지날수록 문제가 더 악화됩니까? 그대로입니까? 아니면 완화됩니까?"

(7) 관련 증상의 파악

- "연관되어 나타나는 증상이 있나요?"/ "함께 나타나는 다른 증상이 있나요?"

(8) 왜 오늘 병원에 내원하게 되었는가

- "오랫동안 아팠는데 특별히 새롭게 변화된 것이 있나요?"
- "가지고 있는 문제점에 대하여 관련되어 있는 중요성에 대해 새로이 자각을 하게 되었나요?"
  예 주변에서 병원에 가서 진찰을 받아보라고 했다는 것 등

(9) 환자의 불편감에 대하여 환자 본인이 생각하는 자신이 가지고 있는 문제점이 무엇이고 더 걱정하는 것은 무엇인지를 알아본다.

6) 의학적 병력(Past medical history)

전신 병력, 외과적 병력, 약물 투여, 알러지 등을 물어본다.

- 병원치료를 받아본 적이 있는가? 그렇다면 어떤 문제였는가? 지속적인 치료를 받았는가?
- 입원한 적이 있습니까? 그렇다면 왜?
- 수술을 받아본 적이 있는가?
- 복용하고 있는 약물이 있는가? 그렇다면 무슨 약의 용량과 얼마나 자주 먹는가?
- 처방전 등을 이용하여 복용 약물 확인
- 약에 의한 부작용을 경험한 적이 있는가?

7) 가족력(Family history)

- 증상과 연관된 질병에 대한 환자 가족의 과거력을 확인한다.
- 특발성 질환이나 유전적 성향의 질환 가능성이 있을 경우 확인한다.

8) 기타 병력(Miscellaneous history)

(1) 음주/흡연(Alcohol/Smoking)

- “흡연한 적이 있는가? 하루에 몇 갑을 피우고 얼마 동안 피웠는가? 언제 끊었는가?”
  ➡ 담배의 종류도 알아내는 것이 좋다.
- “술을 마시는가? 그러면 하루에 얼마나 어떤 술을 마시는가? 날마다 마시지 않으면 일주일이나 한 달에 얼마나 마시는가?”

9) 치과 병력(Past dental history)

- “발치나 마취 경험이 있습니까? 있다면 문제가 생겼던 적은 없습니까?”
- “다른 치과치료를 받았던 적이 있습니까?”

효율적인 의사소통을 위한 의사소통기술

1. 언어적·비언어적 의사소통 기술

1) 격려

머리 끄덕임, 얼굴 표정 등 비언어적 표현을 사용한다.

예 '으~흠', '음', '좋습니다', '예', '알겠습니다' 등

2) 침묵

(1) 환자가 스스로 표현하기 힘들어하거나 감정이 북받친 경우 좀 더 긴 시간 동안 침묵을 유지한다.

(2) 편안한 침묵과 불편한 침묵 사이, 의사소통을 격려하는 것과 불안과 불확실성을 야기하는 것 사이에 뒤따르는 비언어적 행동에 주의한다.

예 의사의 침묵을 불안하게 느끼고 환자 격려가 필요할 경우 "지금 어떤 생각을 하고 계신지 말씀해주실 수 있겠습니까?"

3) 반복하기

(1) 환자가 마지막으로 말한 몇 단어를 반복하는 것이다.

(2) 면담 초기 단계에는 자제한다.

➡ 방해 요인 작용 가능성, 의사가 전체적으로 파악하기 전에 환자로 하여금 특정 주제로 유도 가능성

4) 바꾸어 말하기

(1) 환자의 메시지 뒤에 숨어 있는 내용이나 감정을 당신의 말로 다시 말하는 것이다.

(2) 환자가 실제로 의도한 바를 제대로 이해했는지 확인할 수 있다.

(3) 촉진, 요약하기, 명료화 요소

5) 생각 공유

2. 구강연조직 환자의 병력 청취 과정에서 필수적인 관련 질문

1. 주소

예 "오늘 병원에 무엇 때문에 오셨나요?"

2. 병소의 위치

예 "증상이 있는 부위가 어디인가요?"

3. 병소의 발생(onset) 및 기간(duration)

예 "언제부터 증상이 시작되었나요?"
"증상이 한번 발생하면 얼마나 오랫동안 지속되나요?"

4. 병소의 크기 변화 및 경결감

예 "병소의 크기가 얼마 정도 되는 거 같으신가요?"
"처음 발생했을 때부터 크기의 변화가 있었나요?"
"불편한 부위가 딱딱하게 느껴지시나요?"

5. 병소의 재발성(recurrence) 또는 진행성(progression)

예 "병소가 없어졌다가 다시 생기나요?"
"병소가 없어졌다가 다시 생겼다면 같은 자리에 다시 생겼나요? 아니면 다른 자리인가요?"

6. 통증 및 불편감 유무

예 "병소를 만지거나 일상생활에서 통증이 있나요?"

7. 악화 및 완화 요인

예 "병소를 악화시키는 요인이 있나요?"
"병소를 완화시키는 요인이 있나요?"

8. 궤양(ulcer) 및 수포(vesicle)의 유무

예 "이 병소가 생기기 전에 수포가 있었나요?"

9. 피부, 눈, 성기 병소의 유무

예 "입안에 생긴 병소 말고 몸 다른 쪽에 병소가 생긴 적이 있나요?"

10. 기존에 받았던 치료와 그 효과

예 "이 병소가 생긴 이후 치료를 받아보셨나요?"
"치료를 받아보셨다면 치료에 반응이 있었나요?"

11. 구강궤양과 전신증상의 동시 발현 / 관련 복용약의 유무

예 "구강내 병소가 발생할 때 혹시 다른 전신증상(열이나 권태감 등)이 있습니까?"
"구강내 병소 발생 전에 복용했던 약물이 있습니까?"

12. 전신질환 유무

예 "현재 드시고 있는 약이 있나요?"
"진단받은 전신질환이 있나요?"

13. 치과병력

2 기본적인 진찰법

정상 구강내 도해

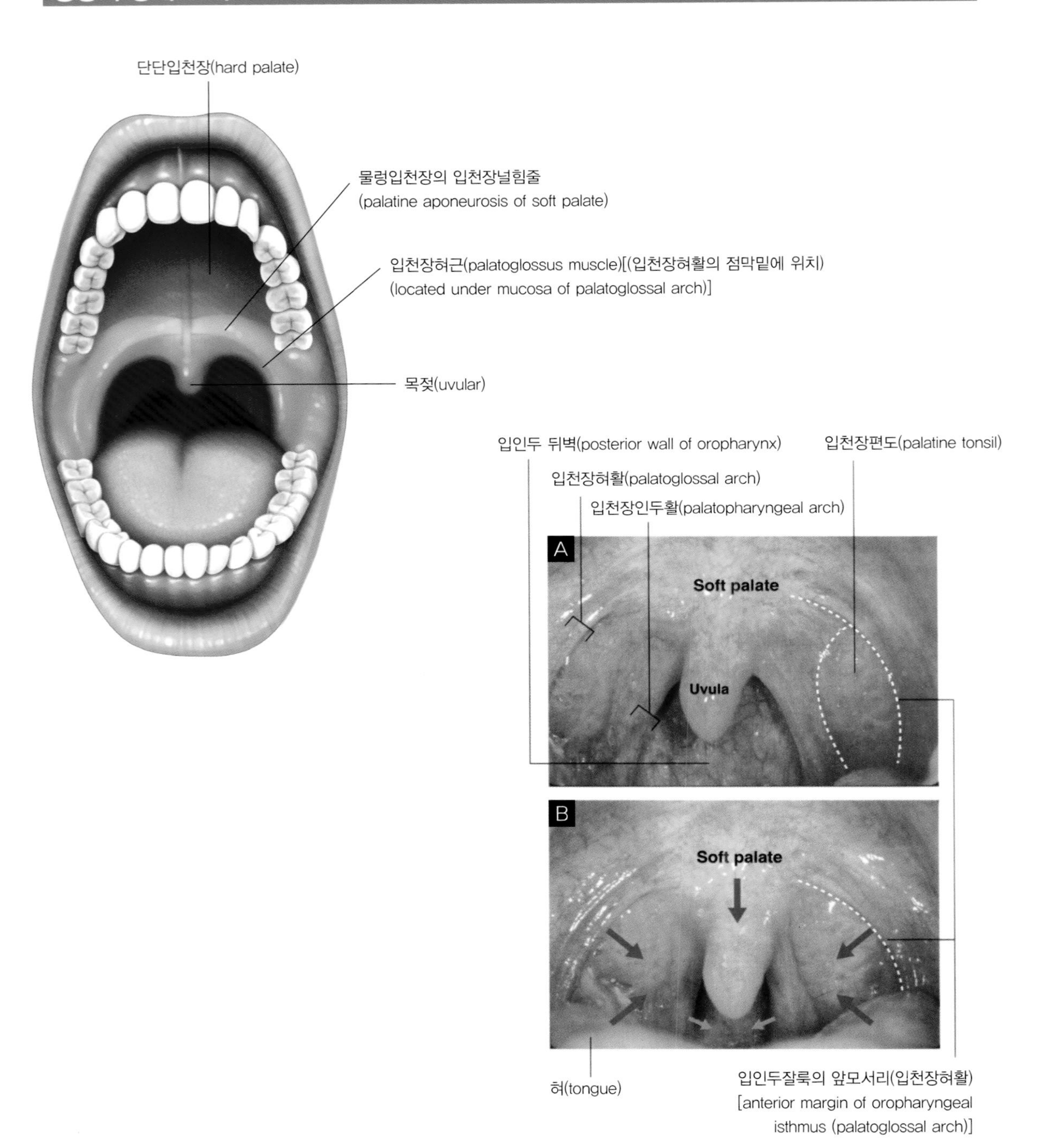

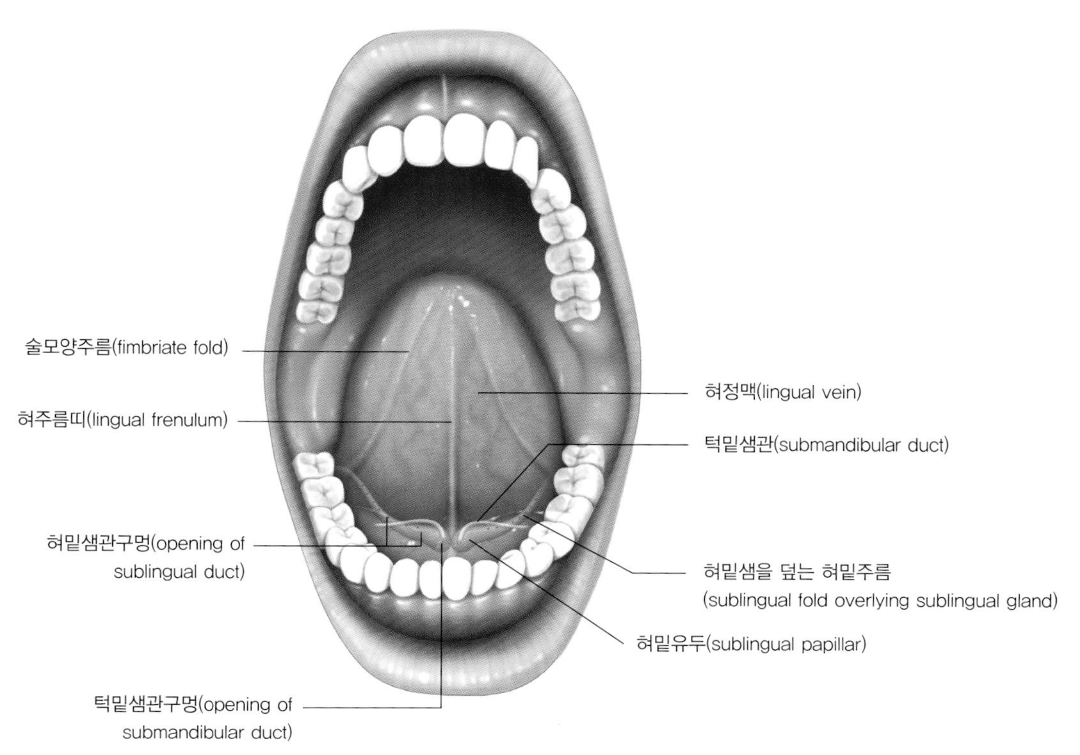

입인두잘룩의 닫힘(closure of oropharyngeal isthmus)

- 입천장혀활(palatoglossus arches)의 안쪽 및 아래쪽 운동
- 입천장인두활(palatopharyngeal arches)의 안쪽 및 아래쪽 운동
- 혀의 위쪽 운동
- 물렁입천장(soft palate)의 아래쪽 및 앞쪽 운동

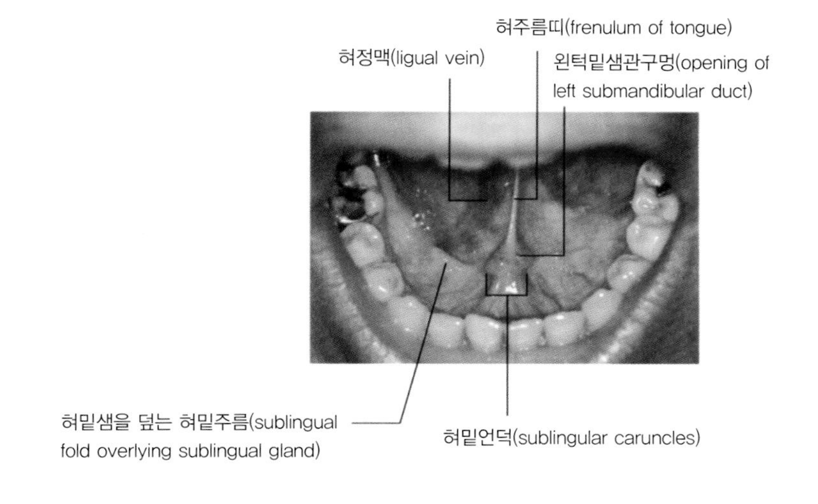

조희중 외 공역, Gray 새로운 해부학. 엘스비어코리아(Elsevier), 2007년 인용

1. 시진(Visual inspection)

진찰 대상에 대한 체계적인 육안적 평가를 말한다. 신체의 외형, 신체 부위별 크기상의 비례관계, 신체 부위별 기능적 운동 상태, 피부와 점막의 색조, 피부와 구강점막 병소의 형태이상, 기타 정신불안 상태를 반영하는 신체행동 등을 평가한다.

2. 촉진(Palpation)

진찰 대상을 직접 만져보거나 눌러봄으로써 느낀 감촉에 대한 체계적인 평가를 말한다. 골격의 크기, 형태, 연속성, 기능 상태 및 해부학적 구조물; 근육과 인대의 크기, 경계선, 견고성, 부착점, 기능 상태 및 예민성; 선조직의 경계선, 견고성, 부착점; 피부와 점막의 표면 구조, 탄력성 및 활택성; 하악 운동 시 치아의 동요상태 등을 평가한다.

1) 양수촉진(Bimanual palpation)

진찰 대상 조직의 한편을 한쪽 손으로 받치고, 반대쪽을 반대편 손 또는 손가락으로 촉진하는 방법이다(예 구강저).

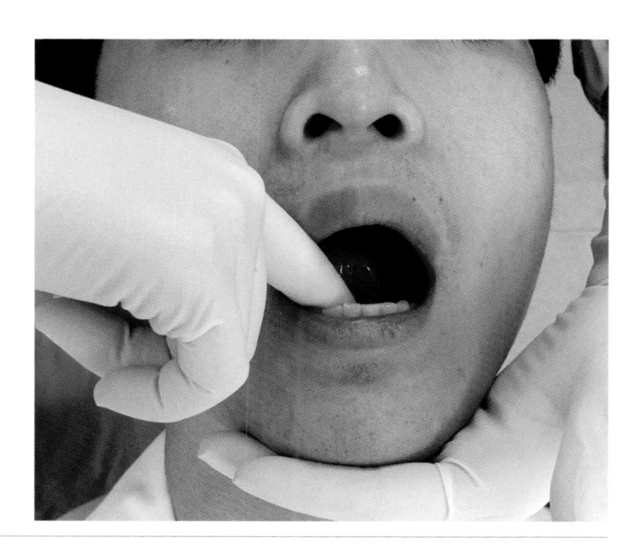

1-1 양수촉진 방법을 이용하여 구강저 촉진

2) 양지촉진(Bidigital palpation)

진찰 대상 조직을 두 손가락(대개 엄지와 검지) 사이에 끼워 촉진하는 방법이다.
하방에 받쳐주는 뼈가 없고 부피가 작은 연조직의 경우
단지촉진을 하기 어려우므로 양지촉진을 이용하게 된다(예 입술, 볼, 혀, 등세모근(승모근) 상부, 목빗근(흉쇄유돌근) 등).

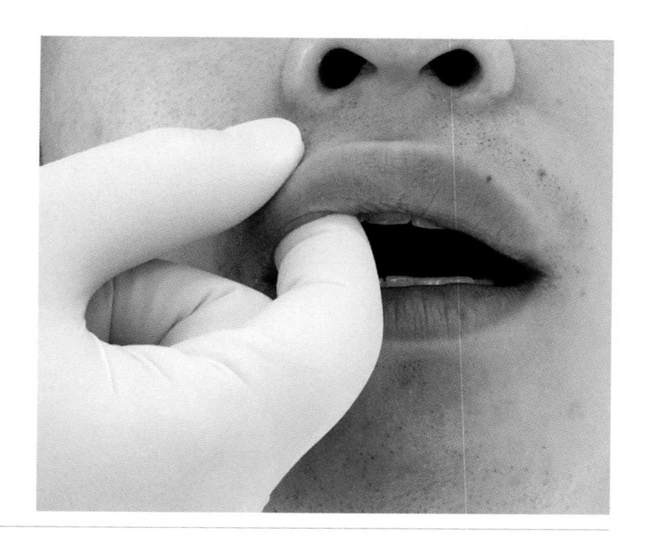

1-2 양지촉진 방법을 이용하여 입술 촉진

3) 대칭촉진(Bilateral palpation)

좌우 양측 대칭성 조직에 각각 한편 손 또는 손가락을 대고 촉진해 봄으로써, 좌우측의 감촉을 비교, 평가하는 방법으로 좌우 양측에 대칭적으로 존재하는 조직의 촉진 시 이용한다. 양쪽에 동시에 대칭적으로 병소나 병적 변화가 나타나는 경우는 드물기 때문에, 대칭촉진을 함으로써 정상과 비교되는 비정상 소견을 쉽게 확인할 수 있다.

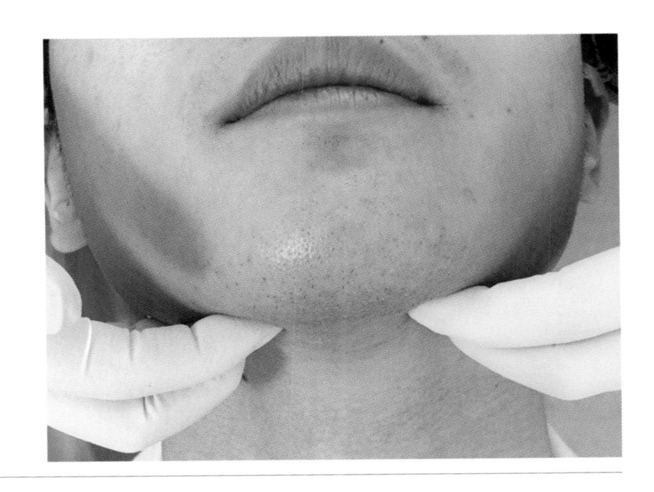

1-3 대칭촉진 방법을 이용하여 악하선 촉진

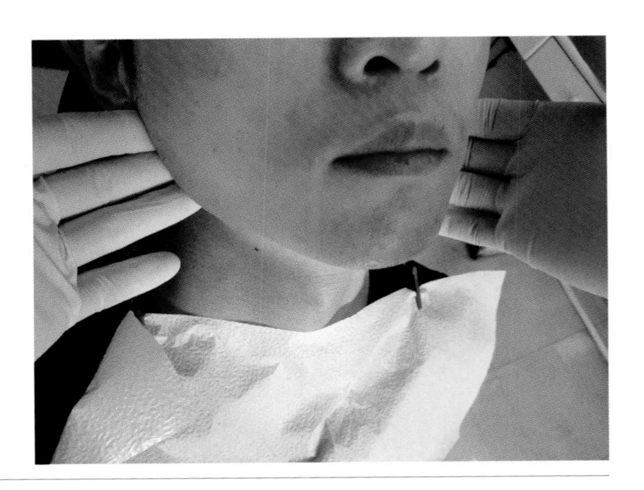

1-4 대칭촉진 방법을 이용하여 이하선 촉진

※ 치은점막, 치조점막, 경구개 등 편평하고 단단한 뼈와 같은 구조물과 그 위에 있는 연조직을 촉진할 때는 단지촉진(monodigital palpation)을 사용할 수 있다.

3. 타진(Percussion)

진찰 대상을 손가락이나 기구로 두들겨 봄으로써 나타나는 반향에 대한 체계적인 평가를 말한다.

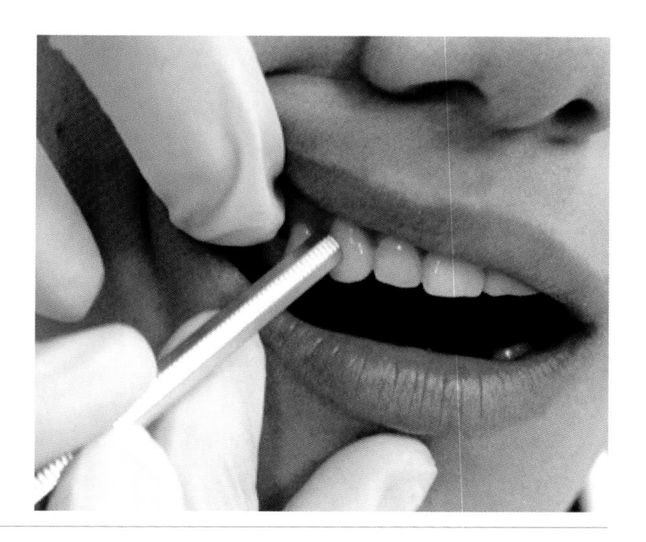

1-5 치경을 이용하여 치아 타진 검사

Reference

1. 대한구강내과학회, 구강병의 진단과정 및 치료계획, 2010, 신흥인터내셔널, P. 1-58.
2. 박기흠 성낙진 외 공역, 환자와 의사소통하는 기술, 2010, 동국대학교출판부.
3. 박덕영 외, 치과진료 의사소통 기술의 이론과 실습, 2015, 대한나래출판사.
4. Michael Glick ed, Burket's Oral medicine 12th ed, 2015, PMPH-USA, pp.1-16.
5. 조희중 외 공역, Gray 새로운 해부학, 2007, 엘스비어코리아(Elsevier), P. 997, 1001, 1006.

ORAL MEDICINE

구강내과학

CHAPTER

턱관절과 저작근 촉진

ORAL MEDICINE

턱관절과 저작근 촉진

Palpation of temporomandibular joints and masticatory muscles

1 검사 개요

턱관절의 구성 요소 중 뼈를 제외한 부분에 대해서 영상학적 검사로는 진단에 필요한 충분한 정보를 얻는 데 한계가 있으며, 이때 사용할 수 있는 유용한 검사 방법이 촉진 검사이다.

턱관절과 측두근, 교근 등의 저작근을 기시부, 주행부, 정지부별로 구강 내외에서 일정한 압력(턱관절: 0.5 kg, 저작근: 1 kg)으로 촉진하여, 압통, 부종, 비대, 이상 감촉 등을 검사한다.

2 검사 방법 및 과정

1. 환자와 술자의 위치

1) 방법 A

환자를 바로누운자세(supine position)에 위치시키고 술자는 환자의 12시 방향에 앉아서 촉진한다.

2) 방법 B

환자를 바로선자세(upright position)에 위치시키고 술자는 환자의 오른쪽 옆에 서서 환자의 얼굴을 정면으로 바라보면서 촉진한다.

주 숙련자의 경우는 두 가지 중 술자의 선호도에 따라 선택할 수 있으나 초보자의 경우 환자를 바로선자세(upright position)에 위치시키고 환자 정면에서 촉진하는 것을 권장한다.

2. 촉진 방법

방법 A로 평가한다. 필요시 방법 B를 사용할 수 있다.

1) 방법 A

양측 검지나 중지(하나의 손가락으로)로 대칭촉진 방법을 사용한다.

2) 방법 B

하나의 손가락으로 각각 한쪽씩 차례대로 촉진하는 방법으로 한쪽 촉진 시 반대편 손은 머리를 지지한다.

여러 번 누르거나 문지르지 않고 정확한 부위를 2초 정도 누르고 있는 상태에서 압통(통증의 유무)을 평가한다. 저작근 촉진에서 연관통 평가 시에는 5초 이상 누르고 있는 상태에서 연관통 존재 여부를 평가한다.

주 압통 평가 시에는 동일한 부위를 지나치게 짧게(2초 미만) 혹은 길게(5초 이상) 누르지 않아 위음성 또는 위양성 결과를 피한다.

주 일반적으로 촉진 결과는 통증의 유무를 기록하나, 필요에 따라 통증의 정도(예: 0~10 사이의 숫자 또는 mild/moderate/severe)를 기록하기도 한다.

3. 턱관절 촉진(Palpation of temporomandibular joints)

턱관절의 위치는 귓구슬(tragus) 바로 전방 부위이다. 턱관절의 위치를 확인할 때는 입을 벌려보거나 턱을 앞으로 내밀어보게 한다.

1) 턱관절 측방 촉진[📷 2-1]

(1) 입을 다문 상태에서 턱관절의 외측극을 가볍게(0.5 kg 정도의 압력으로) 압박한다.

➡ 외측극이 아닌 교근 심부에 손가락을 위치시킨 경우 이악물기 시 교근의 수축을 느낄 수 있으므로 참고한다.

(2) 통증 유무 및 통증 강도를 확인한다.

예 "턱관절 부위를 눌러보겠습니다. 눌러서 아프거나 불편한 느낌이 들면 알려주세요."

2) 턱관절 후방 촉진[📷 2-2]

(1) 환자를 약간 개구시키거나 하악을 약간 전방으로 유도한다.

(2) 검지나 중지를 구부려 과두 후면에 대고 전방 및 상방으로 촉진한다.

(3) 통증의 유무 및 통증 강도를 확인한다.

주 외이공을 통한 과두후방을 촉진하는 방법(외이공에 네 번째 또는 다섯 번째 손가락을 집어넣고, 그 손가락 끝으로 외이도의 앞벽을 전방 및 전하방으로 압박)은 위양성 반응 등 부정확한 반응을 보일 수 있어 주의가 필요하고 흔하게 사용되지 않는다.

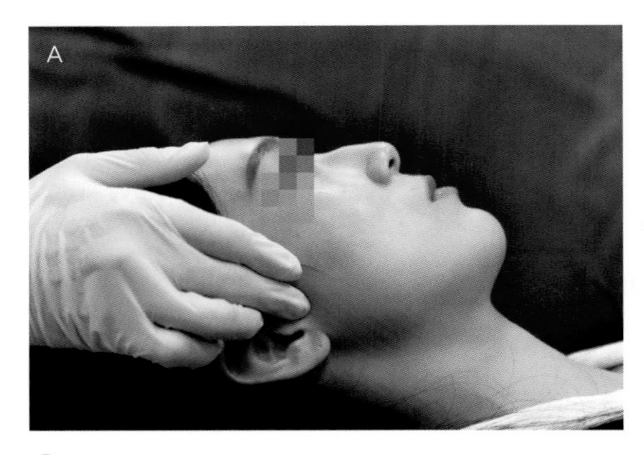

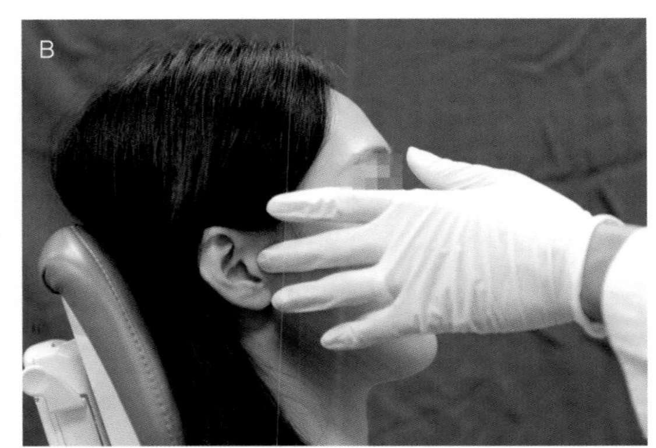

2-1 **턱관절 측방 촉진.** A: 바로누운자세(supine position) B: 바로선자세(upright position)

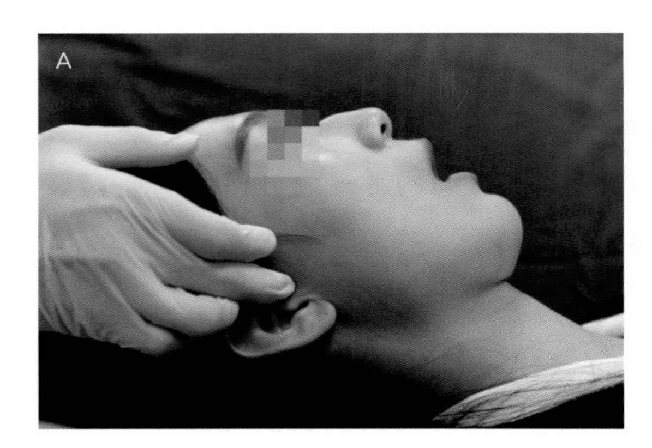

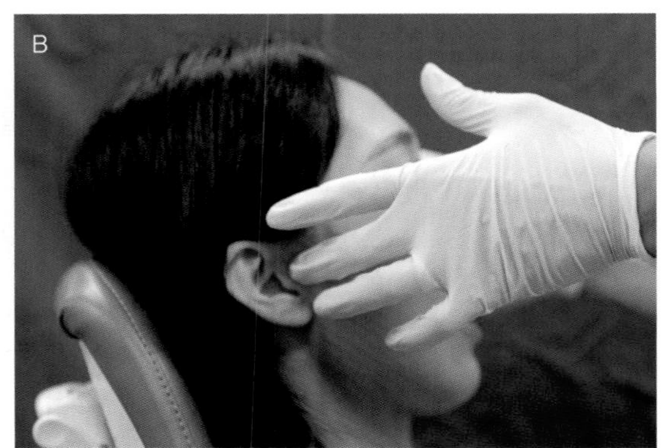

2-2 **턱관절 후방 촉진.** A: 바로누운자세(supine position) B: 바로선자세(upright position)

4. 저작근 촉진(Palpation of masticatory muscles)

1) 측두근

측두근은 3가지 기능 부위로 나누어지며, 각 부위별로 독립적으로 촉진하여야 한다. 전방부, 중앙부, 후방부 각 부위별로 상방, 중앙부, 하방으로 나누어 촉진할 수 있으나 일반적으로는 하방(눈높이)을 촉진한다.

만약 손가락이 적당한 위치에 바르게 놓여 있는지가 의심스러우면 환자에게 치아를 꽉 깨물게 하여 측두근이 수축하는 느낌을 손가락으로 확인하도록 한다.

촉진 시에는 치아가 접촉되지 않는 상태로, 수동적인 근육 상태를 유도한다.

(1) 측두근 전방부[2-3]

- 눈 후방, 관골궁 상방의 측두근 부위를 압박한다.
- 통증의 유무를 확인한다.

예 "턱관절 주변 근육을 눌러보겠습니다. 눌러서 아프거나 불편한 느낌이 들면 알려주세요."

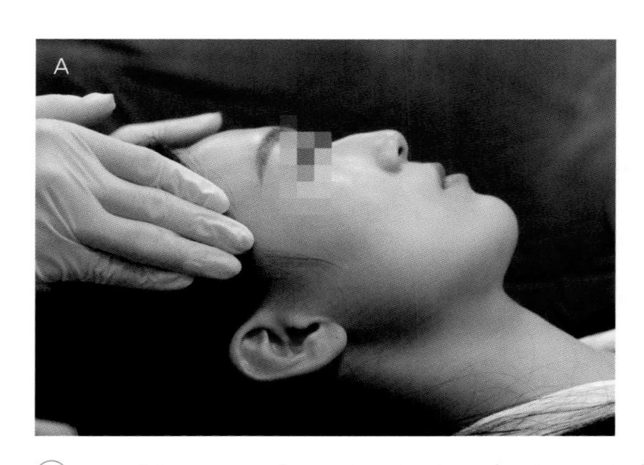

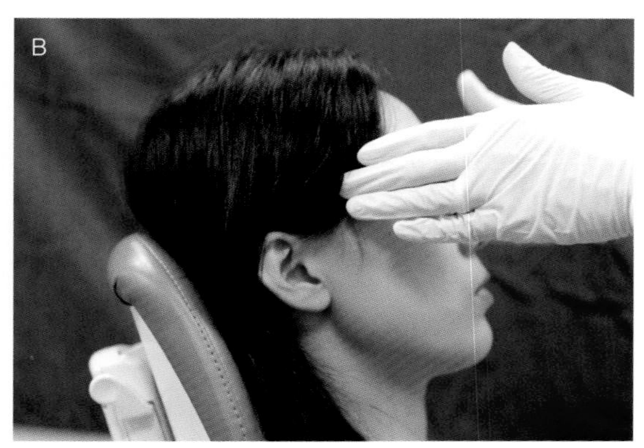

2-3 **측두근 전방부 촉진.** **A:** 바로누운자세(supine position) **B:** 바로선자세(upright position)

(2) 측두근 중앙부[(📷) 2-4]

- 턱관절 상방의 측두근 부위를 압박한다.
- 통증의 유무를 확인한다.

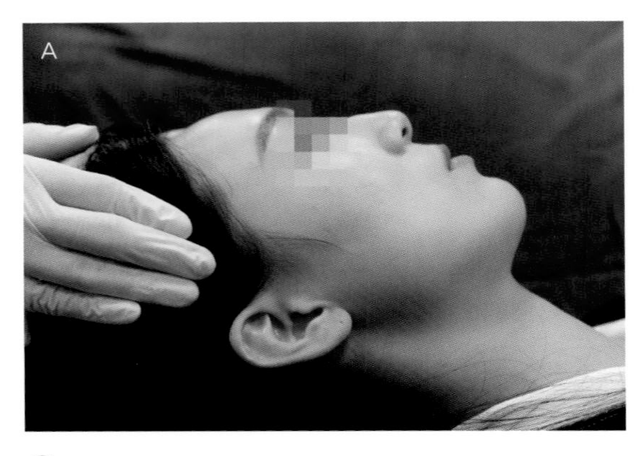

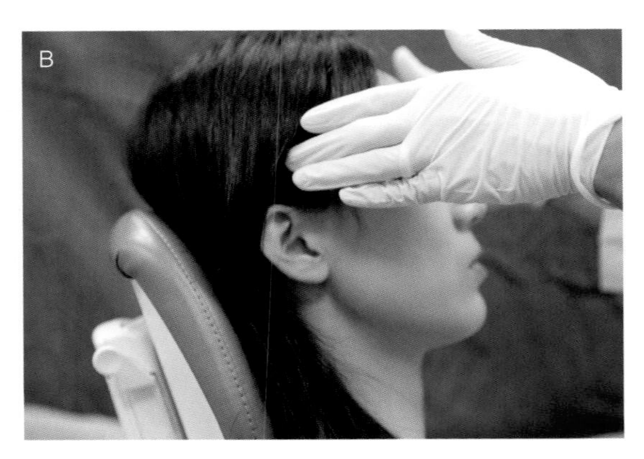

(📷) 2-4 **측두근 중앙부 촉진.** **A:** 바로누운자세(supine position) **B:** 바로선자세(upright position)

(3) 측두근 후방부[(📷) 2-5]

- 귀 상방의 측두근 부위를 압박한다.
- 통증의 유무를 확인한다.

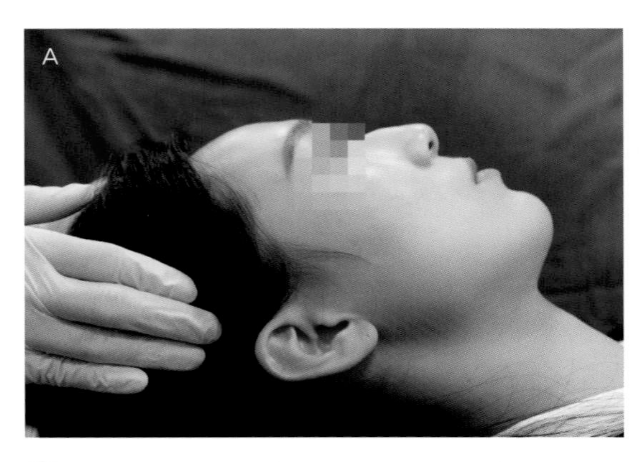

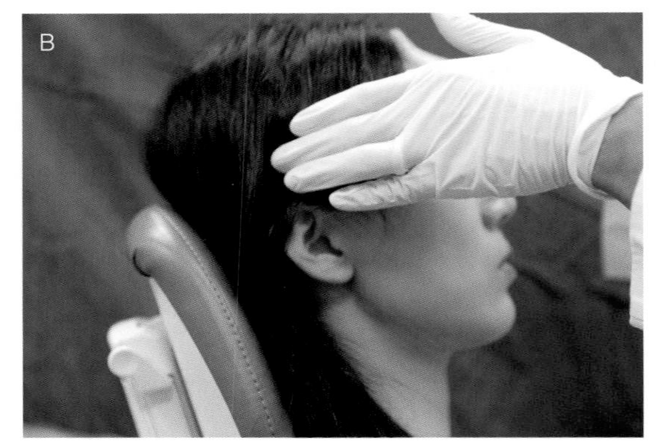

(📷) 2-5 **측두근 후방부 촉진.** **A:** 바로누운자세(supine position) **B:** 바로선자세(upright position)

2) 교근

교근은 기시부, 중앙부, 정지부의 3가지 부위로 나누어 각 부위별로 독립적으로 촉진하여야 한다. 각 부위별로 전방, 중앙부, 후방으로 나누어 촉진할 수 있으나 일반적으로 전후방으로는 중앙부를 촉진한다.

만약 손가락이 적당한 위치에 바르게 놓여 있는지가 의심스러우면 환자에게 치아를 꽉 깨물게 하여 교근이 수축하는 느낌을 손가락으로 확인하도록 한다.

촉진 시에는 치아가 접촉되지 않는 상태로, 수동적인 근육 상태를 유도한다.

(1) 교근 기시부[2-6]

- 관골 하방의 교근 부위를 압박한다.
- 통증의 유무를 확인한다.

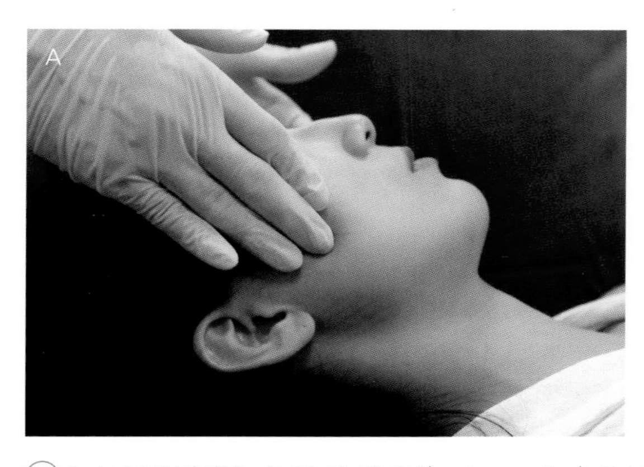

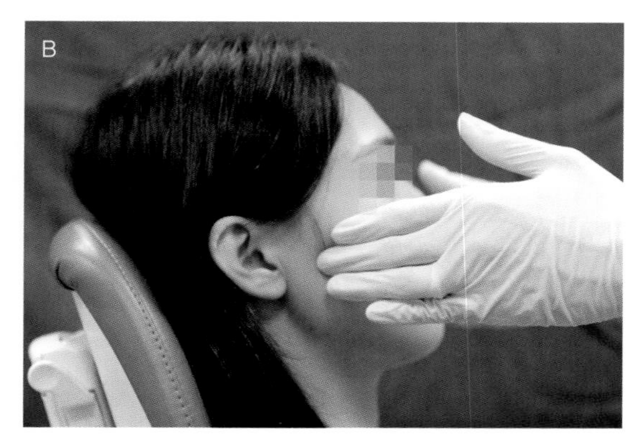

2-6 **교근 기시부.** A: 바로누운자세(supine position) B: 바로선자세(upright position)

(2) 교근 중앙부[📷 2-7]

- 교근 기시부와 정지부 사이의 교근 부위를 압박한다.
- 통증의 유무를 확인한다.

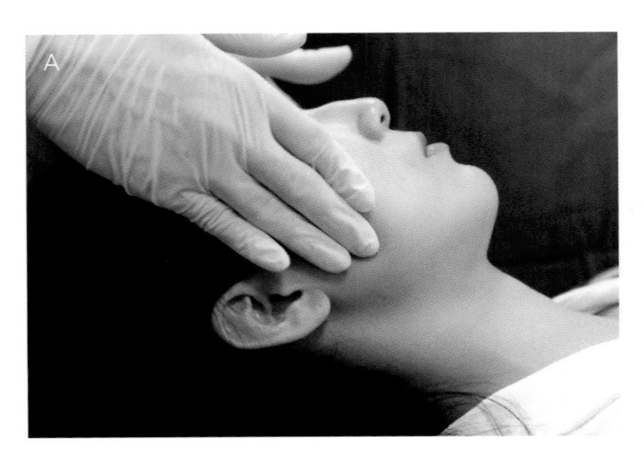

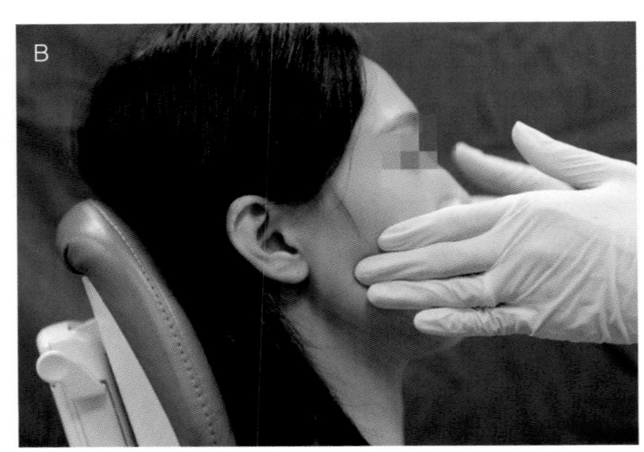

📷 2-7 **교근 중앙부.** **A:** 바로누운자세(supine position) **B:** 바로선자세(upright position)

(3) 교근 정지부[📷 2-8]

- 하악 우각부 상방의 교근 하부 부위를 압박한다.
- 통증의 유무를 확인한다.

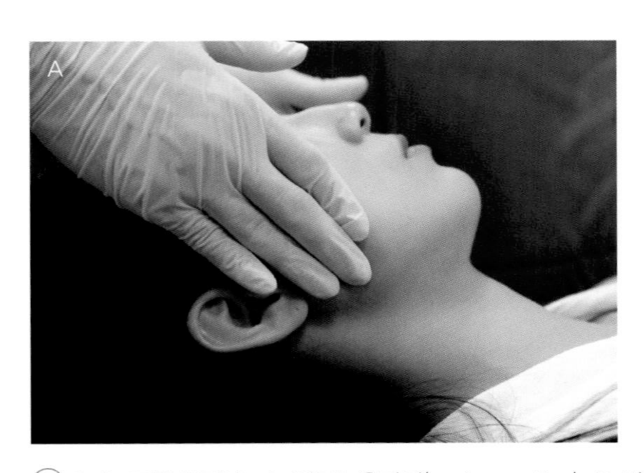

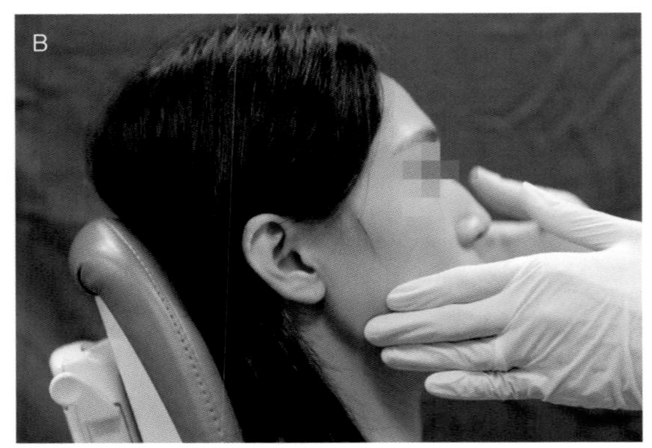

📷 2-8 **교근 정지부.** **A:** 바로누운자세(supine position) **B:** 바로선자세(upright position)

3 기구 및 재료 목록

	품목	규격	수량	특기사항
1	치과진료의자		1대	공용
2	덴탈마스크		1개/명	
3	러버글러브		1개/명	

Reference

1. 대한안면통증구강내과학회. 구강내과학 제4편 구강안면통증과 측두하악장애. 예낭아이엔씨; 2012. pp.117, 120–125.
2. Ohrbach R, Gonzalez Y, List T, et al, Diagnostic Criteria for Temporomandibular Disorders(DC/TMD) Clinical examination Protocol, 2014.

ORAL MEDICINE

구강내과학

CHAPTER

하악운동검사

1. 검사 개요
2. 검사 방법 및 과정
3. 기구 및 재료 목록

ORAL MEDICINE

하악운동검사

Examination of mandibular movement

1 검사 개요

관절장애 및 근육장애를 평가하고 감별 진단하기 위해 하악운동 검사가 필요하다. 개구량과 하악의 측방 및 전방 운동의 가동범위를 측정하고, 운동제한, 통증 유무 및 개구 운동 양상을 평가한다.

2 검사 방법 및 과정

1. 개구량 검사

1) 환자와 술자의 위치

환자를 바로누운자세(supine position), 반누운자세(semisupine position) 또는 바로선자세(upright position)에 위치시키고 술자는 측정하기 편한 위치에서 검사한다.

2) 개구량의 측정

정중선(상,하악 중절치, 대개 악궁에서 벗어나지 않고 치아의 회전 등이 심하지 않아 측정이 용이한 쪽 중절치간)에서 상하악 절치절단면 사이 거리를 측정하며 편이개구량, 능동 최대개구량 및 수동 최대개구량을 자로 측정한다.

(1) 편이개구량(Comfortable mouth opening, CMO 또는 Pain free opening)[📷 3-1]

자의 시작점을 하악전치부 기준 절치에 위치시킨 후 최초의 통증이 느껴질 때까지 개구량을 측정한다.

예 "아프기 전까지만 입을 크게 벌려주세요."
"입을 크게 벌리다가 아프기 시작할 때 바로 멈추세요."

(2) 능동 최대개구량(Maximum mouth opening, MMO 또는 Maximum unassisted opening)[📷 3-2]

자의 시작점을 하악전치부 기준 절치에 위치시킨 후 통증이 있더라도 환자가 최대로 개구할 수 있는 상태에서 개구량을 측정한다.

예 "아프시더라도 입을 최대한 벌릴 수 있는 만큼 크게 벌려주세요."

(3) 수동 최대개구량(Passive mouth opening, PMO 또는 Maximum assisted opening)[📷 3-3]

자의 시작점을 하악전치부 기준 절치에 위치시키고 검사자의 한손 엄지를 상악 전치에 위치시키고 검지를 하악 전치에 위치시킨 상태에서 환자가 개구할 수 있을 만큼 최대한 개구한 후 적당한 압력을 가하여 가능한 정도까지 개구시키면서 개구량을 측정한다.

예 "제 손가락을 이용해서 입을 더 크게 벌려보려고 하는데, 만약 중간에 멈추길 원하시면 손을 들어주세요. 그러면 즉시 중단하도록 하겠습니다."

주 환자의 입 크기에 따라 최대개구량이 다를 수 있으나 일반적으로 절치사이거리(interincisal distance)와 수직피개(overbite)를 합하여 40 mm 미만인 경우 개구제한으로 평가한다.

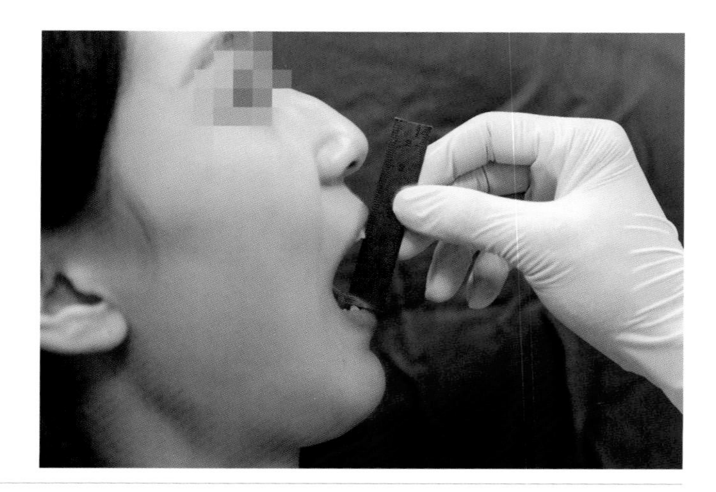

3-1 편이개구량의 측정

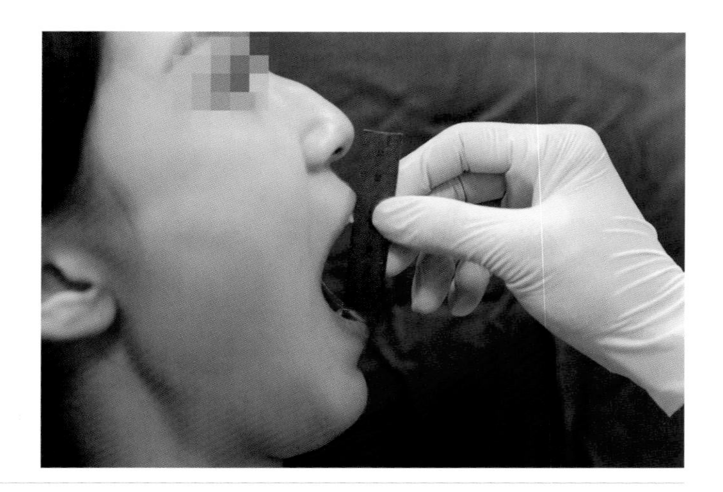

3-2 능동 최대개구량의 측정

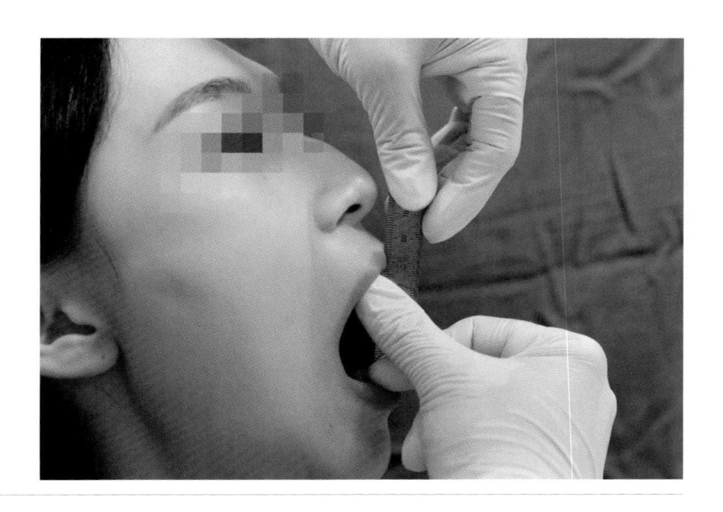

3-3 수동 최대개구량의 측정

3) 개구 시 통증

능동 및 수동 최대개구량의 측정 시 통증이 있는지 확인한다. 만약 통증이 있다면 통증을 호소하는 부위의 위치를 확인한다. 이때, 압박감이나 당기는 느낌은 포함시키지 않는다.

2. 개구 운동 양상

1) 환자와 술자의 위치

환자를 바로누운자세(supine position)에 위치시키고 술자는 환자의 12시 방향에 앉거나, 환자를 반누운자세(semisupine position) 또는 바로선자세(upright position)에 위치시키고 술자는 환자의 정면 방향에 서서 검사한다.

2) 개폐구 시 편위 또는 편향의 확인

(1) 직선 개폐구(편위 또는 편향 없음, Straight)[📷 3-4]

최대 개구 시 편위 또는 편향이 일어나지 않는 경우를 일컬으며, 이때 정중선에서 좌우측으로 2 mm 이내의 미세한 편위가 있는 경우도 포함한다.

주 그 양상을 그림으로 기록할 수 있어야 한다.

(2) 개폐구 시 S자형 편위(S-deviation or Corrected deviation)[📷 3-5]

개구 또는 폐구 시 S자형 곡선을 그리면서 개 · 폐구가 발생하는 경우를 일컬으며, 이때 정중선에서 2 mm 이상을 벗어났다가 돌아온 경우를 기준으로 한다.

주 그 양상을 그림으로 기록할 수 있어야 한다.

(3) 개폐구 시 측방 편향(Deflection or Uncorrected deviation)[📷 3-6]

최대 개구 시 좌측 또는 우측으로 측방 편향이 일어난 경우를 일컬으며, 이때 정중선에서 2 mm 이상 벗어난 경우를 기준으로 한다.

주 그 양상을 그림으로 기록할 수 있어야 한다.

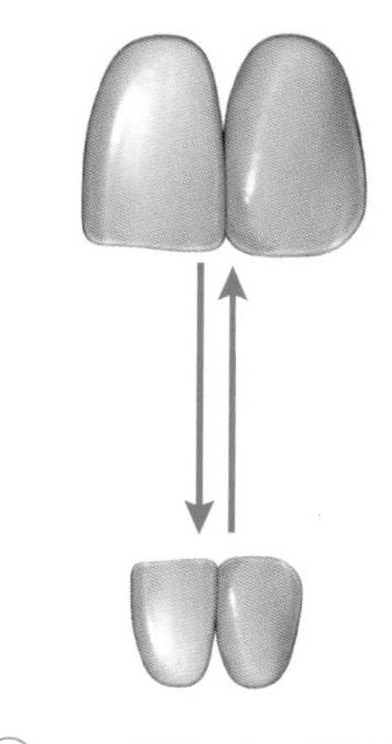

📷 3-4 편위 또는 편향 없음

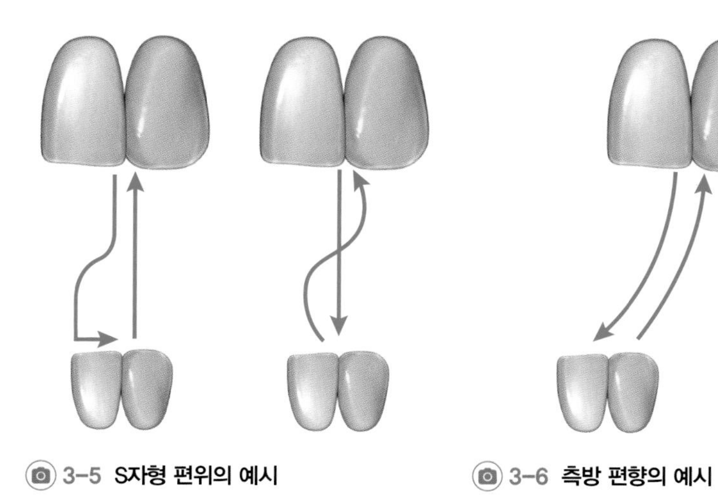

📷 3-5 S자형 편위의 예시

📷 3-6 측방 편향의 예시

3. 하악의 측방 운동 및 전방 운동 검사

1) 하악의 측방 운동 검사

(1) 환자와 술자의 위치

환자를 바로누운자세(supine position)에 위치시키고 술자는 환자의 12시 방향에 앉거나, 환자를 반누운자세(semisupine position) 또는 바로선자세(upright position)에 위치시키고 술자는 환자의 정면 방향에 서서 검사한다.

(2) 측방 운동 검사

① 자를 이용하여 상하악 중절치의 정중선 편위를 먼저 측정한다[3-7].

② 자의 시작점을 상악 중절치 중앙에 위치시킨 후 환자에게 아래턱을 최대한 좌측 또는 우측으로 움직이게 한 뒤 정중선 편위를 고려하여 실제 좌우측 측방 운동량을 측정한다[3-8].

주 이때 운동 범위가 7 mm 미만인 경우 운동제한으로 판단하고, 측방 운동 시 통증이 발생한 경우 통증이 어느 부위에 있는지 확인한다.

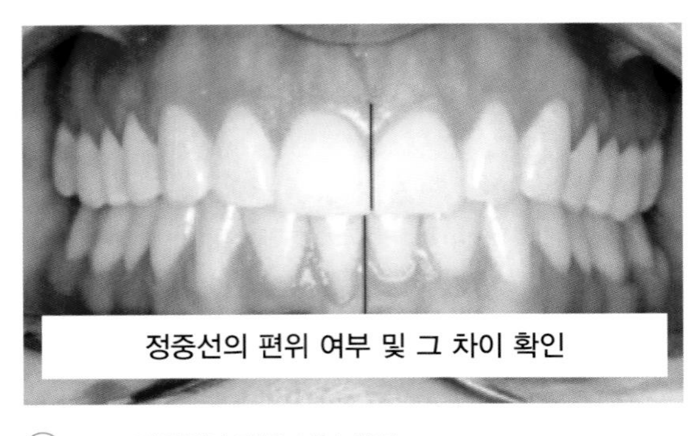

3-7 정중선의 편위 여부 확인

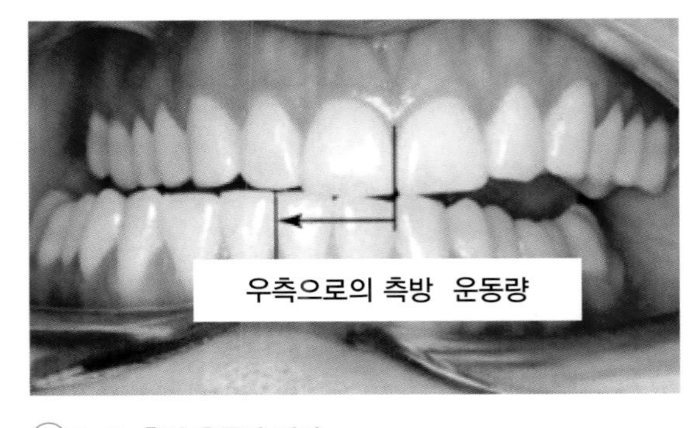

3-8 측방 운동량 검사

2) 하악의 전방 운동 검사

(1) 환자와 술자의 위치

환자를 바로누운자세(supine position), 반누운자세(semisupine position) 또는 바로선자세(upright position)에 위치시키고 술자는 환자의 9시 방향에 앉아서 검사한다.

(2) 전방 운동 검사

① 자를 이용하여 상하악 중절치의 수평피개량을 먼저 측정한다[3-9].

② 환자에게 아래턱을 최대한 전방으로 내밀게 한 뒤, 상 · 하악 중절치의 순면 사이의 거리를 측정하는데, 이때 수평 피개량을 고려하여 실제 전방 운동량을 측정한다[3-9, 10].

주 이때 운동 범위가 7 mm 미만인 경우 운동제한으로 판단하고, 전방 운동 시 통증이 발생한 경우 통증이 어느 부위에 있는지 확인한다.

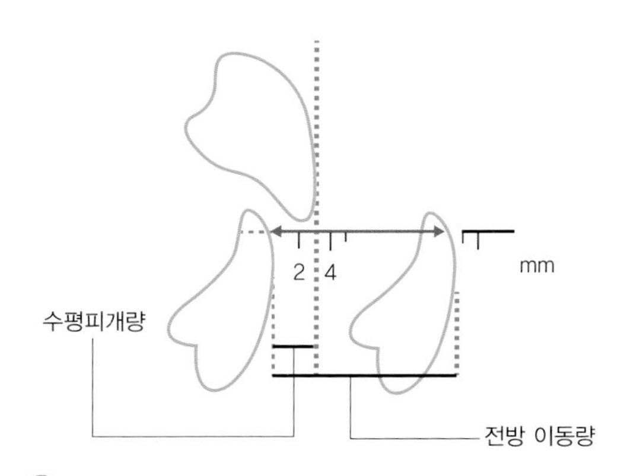

3-9 수평피개량과 전방 이동량

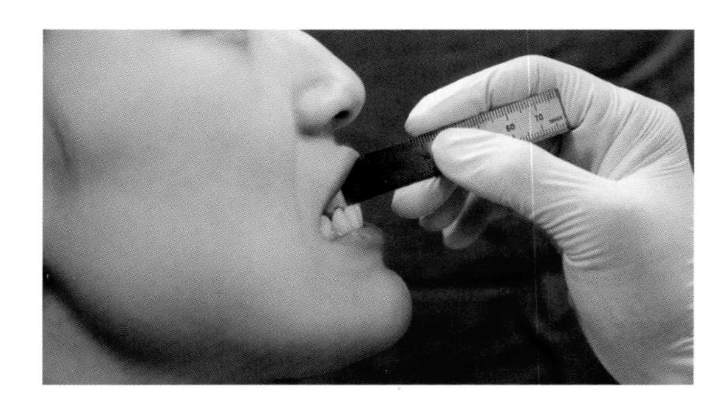

3-10 전방 이동량 측정 시 자의 위치

기구 및 재료 목록

	품목	규격	수량	특기사항
1	치과진료의자		1대	공용
2	자(메탈)		1개/명	
3	덴탈마스크		1개/명	
4	러버글러브		1개/명	

Reference

1. 대한안면통증구강내과학회. 구강내과학 제4편 구강안면통증과 측두하악장애. 예낭아이엔씨; 2012. pp.117–118.
2. Ohrbach R, Gonzalez Y, List T, et al. Diagnostic Criteria for Temporomandibular Disorders(DC/TMD) Clinical examination Protocol, 2014.

ORAL MEDICINE

구강내과학

CHAPTER 04

교합검사

1. 검사 개요
2. 검사 방법 및 과정
3. 기구 및 재료 목록

ORAL MEDICINE

교합검사

Occlusal examination

1 검사 개요

저작, 연하, 발음 등 하악운동의 기본 활동은 치아의 위치, 배열, 교합 시 대합치 간의 관계에 의한 영향을 받는다. 따라서 악궁 내 동일 치열궁 간의 배열과 교합 시 상하악 간 관계의 정상과 이상 상태를 알고 검사할 수 있어야 한다. 검사는 바로누운자세(supine position)에서 치경과 교합지, 교합지 홀더를 이용하여 진행한다.

2 검사 방법 및 과정

1. 안면 또는 턱의 대칭성

정면에서 보았을 때 안면의 크기 또는 형태, 턱의 위치나 모양의 대칭성을 확인하여 기록한다.

2. 구치부 교합관계의 Angle 분류

교두간위에서 상악 치아에 대한 하악 치아의 관계를 확인한다.

1) Ⅰ급(Class Ⅰ)

상악 제1대구치의 근심협측교두는 하악 제1대구치의 협측구 위에 위치

2) Ⅱ급(Class Ⅱ)

상악 제1대구치에 대한 하악 제1대구치의 위치가 Ⅰ급 구치관계보다 원심에 위치

3) Ⅲ급(Class Ⅲ)

상악 제1대구치에 대한 하악 제1대구치의 위치가 Ⅰ급 구치관계보다 근심에 위치

3. 수평피개 및 수직피개

교두간위에서 상악 중절치에 대한 하악 중절치의 관계를 확인하고 자를 이용하여 다음 거리를 측정한다.

1) 수평피개

상악중절치 순면에서 하악중절치 순면까지 측정

2) 수직피개

상악중절치 절단면에서 하악중절치 절단면까지 측정

4. 정중선 편위

교두간위에서 상하악 중절치의 정중선의 일치 및 편위 상태를 확인하고 기록한다.
편위 상태가 관찰되는 경우 편위 방향과 편위량을 측정하여 기록한다.

5. 전방 개교합

어떤 하악위에서도 전치부가 교합되지 않는 경우 기록한다.

6. 교합평면

상하악 치아 간에 연속적이고 부드럽게 이어진 상태인지 확인하고 기록한다.

7. 반대교합

하악 치아가 상악 치아에 대해 협측 또는 순측에 위치해 있는 상태 여부를 기록한다.
반대교합이 관찰되는 경우 해당 치아를 기록한다.

8. 총 교합치아 수

가공치와 의치를 포함해서 교합되는 치아의 수를 기록한다.

9. 교합간섭

1) 전치부 외상성 교합

교두간위 또는 중심 교합위에서 좌우 측절치 사이의 전치가 접촉되는 경우 해당 치아를 기록한다.

2) 전방 및 측방운동 시 구치부 교합간섭

전방 및 측방운동 시 구치부 교합간섭이 발생하는지 여부를 확인하여 해당 치아를 기록한다.

3 기구 및 재료 목록

	품목	규격	수량	특기사항
1	치과진료의자		1대	공용
2	덴탈마스크		1개/명	
3	러버글러브		1개/명	
4	치경		1개/명	
5	교합지 및 홀더		1개/명	

Reference

1. 대한안면통증구강내과학회. 구강내과학 제4편 구강안면통증과 측두하악장애. 예낭아이엔씨; 2012. pp.117–118.
2. 정성창 외 역. 악관절장애와 교합의 치료 제7판. 대한나래출판사; 2014. pp.51–61.

ORAL

MEDICINE

구강내과학

CHAPTER

턱관절 관절음 검사

1. 검사 개요
2. 검사 방법 및 과정
3. 기구 및 재료 목록

ORAL MEDICINE

턱관절 관절음 검사

Temporomandibular joint sounds

1 검사 개요

관절원판의 형태이상과 변위여부, 그리고 턱관절면의 골변화를 판단하는 근거가 될 수 있다. 검사 결과 단순 관절음, 거대 관절음이 발생한 경우에는 관절원판의 형태이상, 유착, 정복성 관절원판변위를 추정할 수 있으며, 염발음이 발생한 경우에는 턱관절면의 골관절염성 변화를 추정할 수 있다. 또한 덜컥 또는 덜커덕하는 관절음은 아탈구를 추정할 수 있다.

2 검사 방법 및 과정

1. 환자와 술자의 위치

환자를 바로누운자세(supine position)로 치과진료의자(unit chair)에 위치시키고 술자는 환자의 9시 방향 또는 12시 방향에 앉는다. 바로선자세(upright position)에서는 술자는 환자의 9시 방향에 서서 검사할 수 있다.

2. 턱관절 위치 찾기

1) 귓구슬(tragus) 전방에 양손의 검지 또는 중지 끝을 위치시키고, 환자에게 입을 벌려보거나 턱을 앞으로 내밀어보게 하여 턱관절의 외측극(lateral pole) 위치를 찾는다.

2) 환자에게 입을 다물도록 하고 턱관절 측면에 검지 또는 중지를 위치시킨다.

3. 관절음 검사 및 기록

1) 환자에게 통증이 있더라도 가능한 최대로 개구하였다가 구치부가 교합이 될 때까지 폐구하도록 지시한다. 이를 2~3번 반복한다[5-1, 2, 3].

2) 이때 관절음 여부 및 종류, 발생 시 개구량(절치 간 거리), 발생 시기(개구 시 또는 폐구 시 발생하는지, 개폐구 모두에 발생하는지)를 기록한다.

3) 환자에게 하악을 앞으로 2~3차례 내밀도록 요구한다. 이때 발생하는 관절음 여부 및 양상을 기록한다.

4) 환자에게 하악을 좌우로 측방 운동하도록 요구한다. 이때 발생하는 관절음 여부 및 양상을 기록한다.

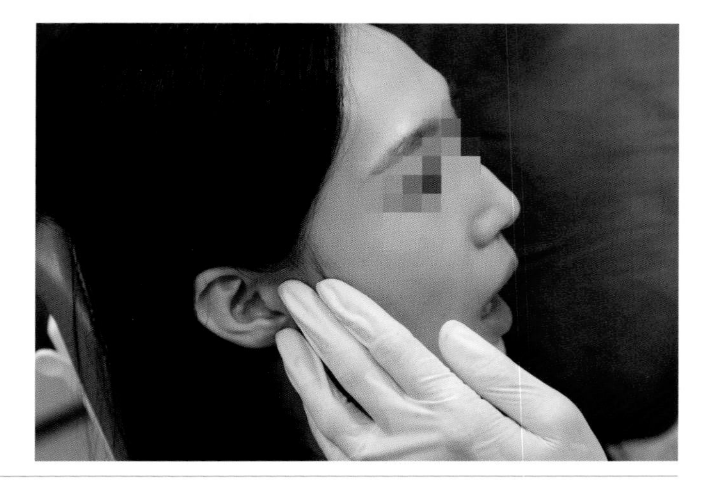

5-1 손가락을 이용한 검사

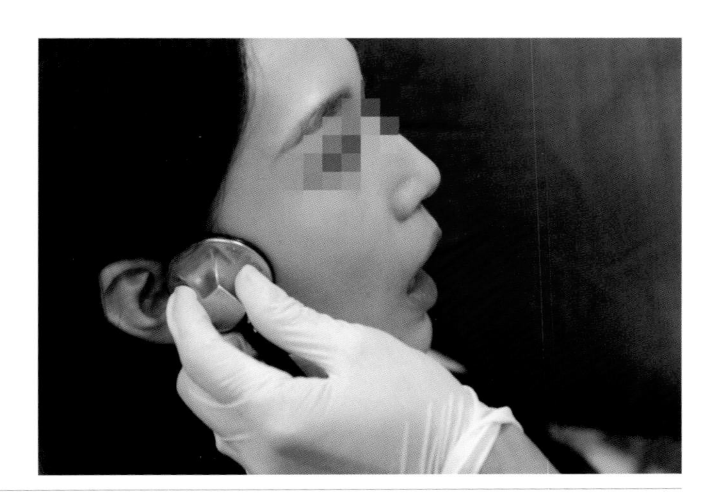

5-2 청진기를 이용한 검사

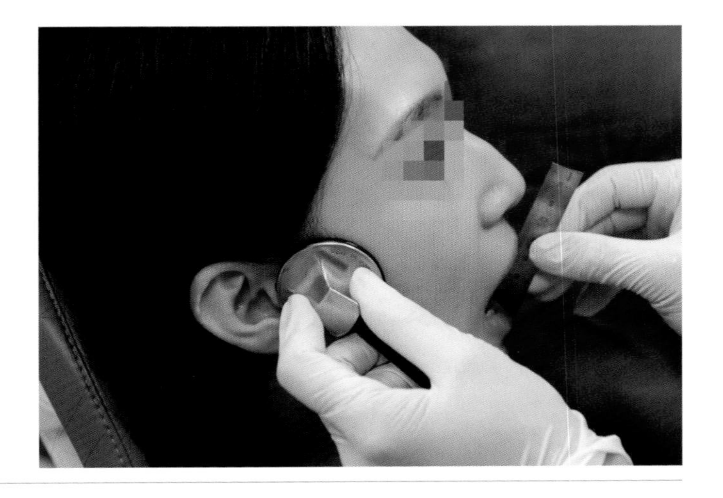

5-3 관절음 발생 시 개구량 측정

4. 관절음 종류

1) 단순 관절음(click)

짧고 명확한 단일음의 관절음

(1) Single click: 개구 시에만 발생하는 단일음의 관절음

(2) Reciprocal (왕복성) click: 개구 및 폐구 시 발생하는 단일음의 관절음

2) 거대 관절음(pop)

단순 관절음이나 옆에서도 확실히 들리는 관절음

3) 염발음(crepitus)

비비는 소리(grating)이거나 모래 갈리는 소리와 같은 다발성 관절음

4) 덜컥하는(thud) 소리

하악과두가 관절융기를 넘어가면서 발생하는 관절음

3 기구 및 재료 목록

	품목	규격	수량	특기사항
1	치과진료의자		1대	공용
2	덴탈마스크		1개/명	
3	자(메탈)		1개/명	
4	러버글러브		1개/명	

Reference

1. 대한안면통증구강내과학회. 구강내과학 제4편 구강안면통증과 측두하악장애. 예낭아이엔씨; 2012. pp.119. 146-148.
2. 정성창 외 역. 악관절장애와 교합의 치료. 대한나래출판사; 2014. pp.206-207.
3. Ohrbach R, Gonzalez Y, List T, et al. Diagnostic Criteria for Temporomandibular Disorders(DC/TMD) Clinical examination Protocol. 2014.

ORAL

MEDICINE

구강내과학

CHAPTER

구강악안면 부위 신경검사

1. 뇌신경 기능 검사(Cranial nerve examination)

ORAL MEDICINE

구강악안면 부위 신경검사

Neurological examination of the oral and maxillofacial regions

1 뇌신경 기능 검사(Cranial nerve examination)

1. 삼차신경(Trigeminal nerve)

1) 지각신경

(1) 배경 설명

삼차신경은 뇌신경 중 가장 큰 신경으로 얼굴, 머리의 피부, 입안과 목구멍의 점막, 혀 및 치아의 일반감각을 담당하는 지각신경과 저작근을 지배하는 운동신경으로 구성된 혼합 신경이다. 이들 중 삼차신경의 지각신경은 안신경(opthalmic nerve), 상악신경(maxillary nerve), 하악신경(mandibular nerve)의 세 가지로 나누어져 얼굴에 분포한다[6-1]. 가장 위에 위치한 안신경은 전두동, 결막, 각막, 이마 등의 감각을 담당한다. 중간에 위치한 상악신경은 뺨, 상악동, 상악 치아의 감각을 담당한다. 가장 아래 위치하는 하악신경은 삼차신경의 가장 큰 분지로, 아래턱, 혀의 전방 2/3, 하악 치아 및 구강저의 감각을 담당한다.

(2) 검사 목적

중추신경계와 악골의 병변이나 침습적 치과치료로 인해 안면 부위에 감각저하를 포함한 지각이상을 호소하는 환자를 평가하기 위해 시행한다.

(3) 검사 부위[6-2] 및 검사 방법[6-1]

① 무해자극의 평가

환자의 눈을 감게 한 뒤, 환자의 편측 이마에 거즈나 면봉을 가볍게 문지른다. 반대측 이마의 같은 부위에 똑같이 문지른다. 환자에게 좌우 검사 부위의 감각이 같게 느껴지는지 다르게 느껴지는지 묻는다. 같은 과정을 뺨과 아래턱에 시행하여, 세 분지의 지각을 평가한다[6-3].

② 유해자극의 평가

환자의 눈을 감게 한 뒤, 환자의 편측 이마를 끝이 뾰족한 기구(예: 탐침자)로 가볍게 찌른다. 반대측 이마의 같은 부위에 똑같이 시행한다. 환자에게 좌우 검사 부위의 통증이 같게 느껴지는지 혹은 다르게 느껴지는지 묻는다. 같은 과정을 뺨과 아래턱에 시행하여, 세 분지의 통각을 평가한다[6-4].

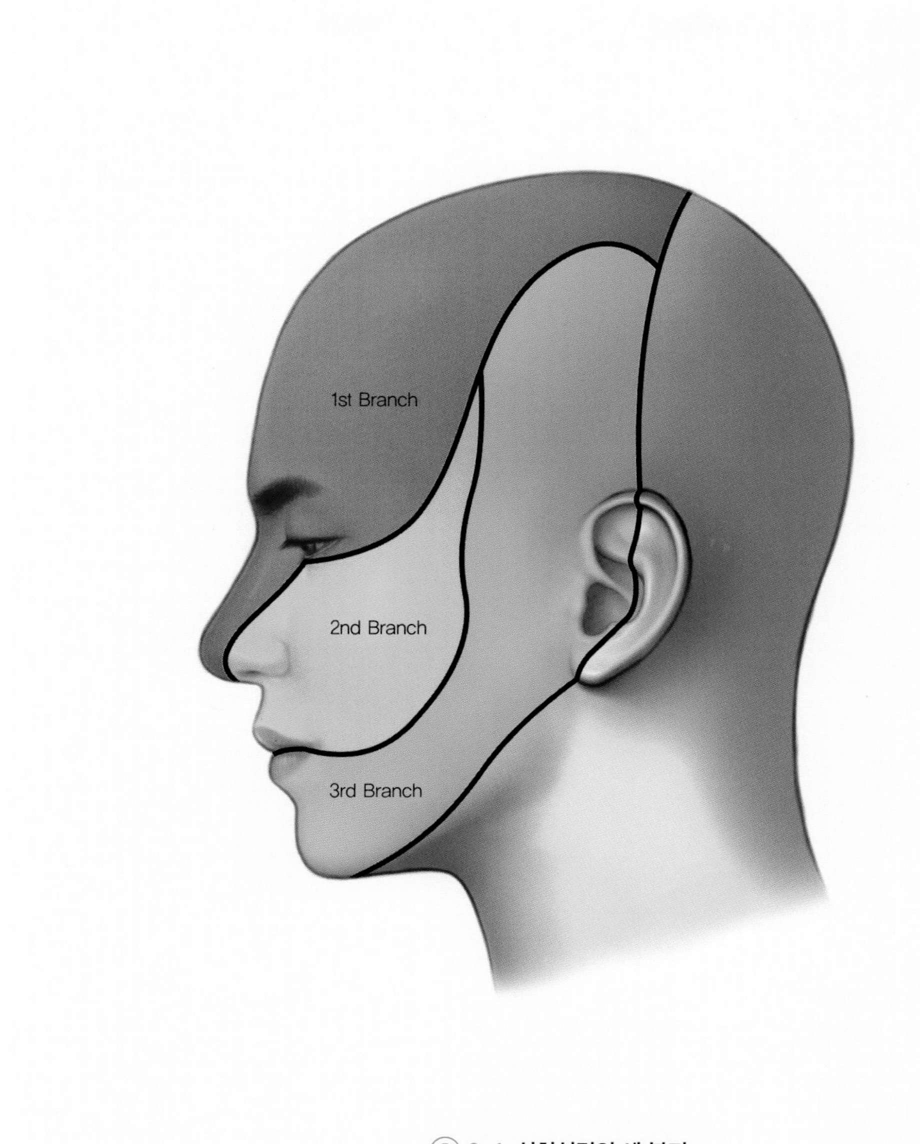

6-1 삼차신경의 세 분지

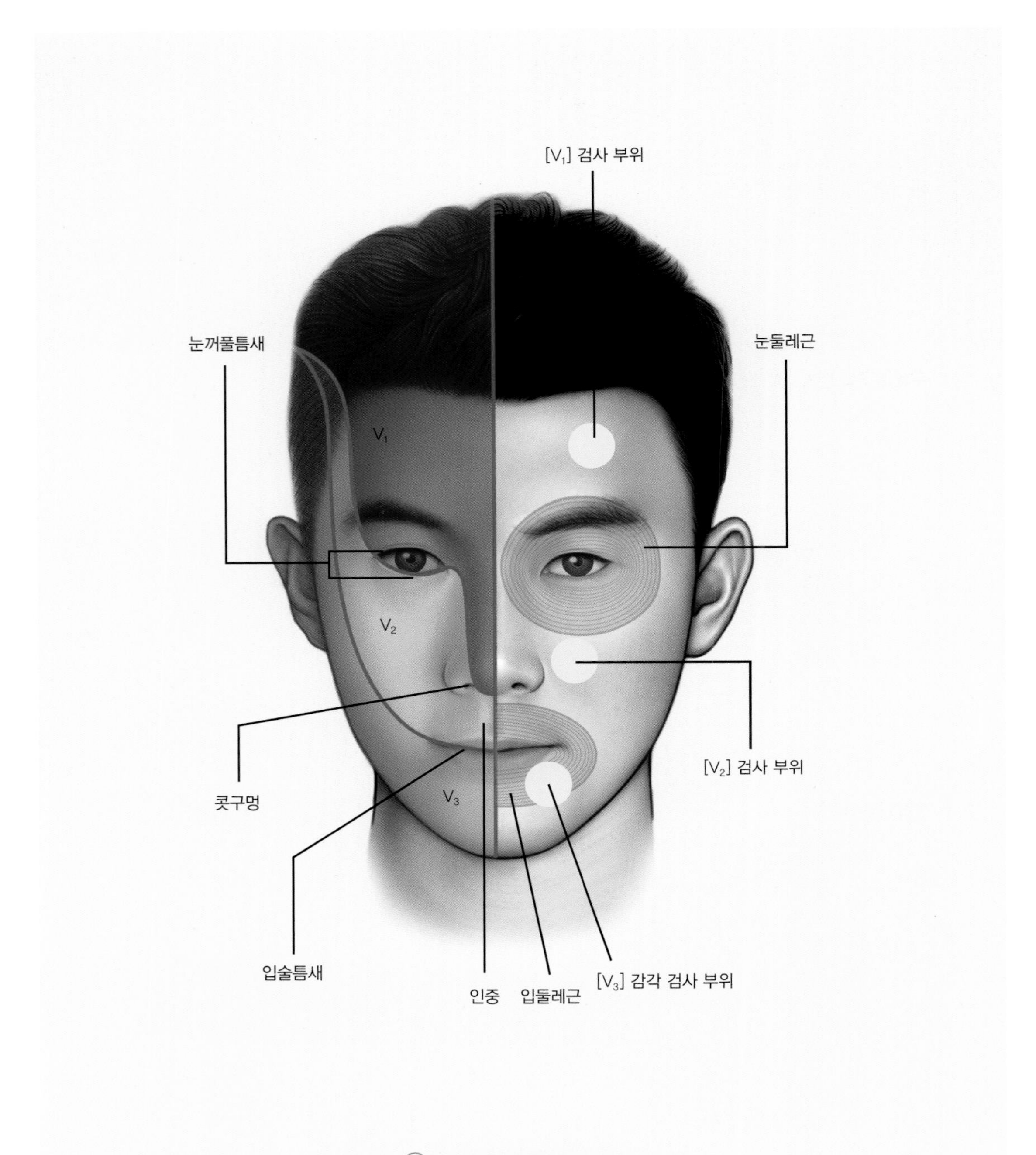

6-2 삼차신경의 검사 부위

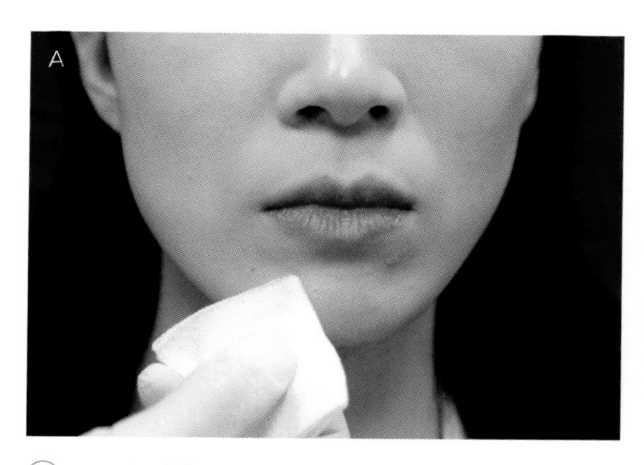

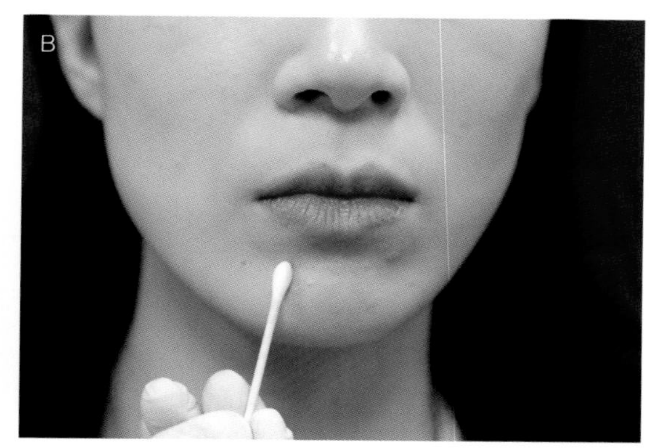

6-3 **무해자극의 평가.** A: 거즈를 사용한 경우 B: 면봉을 사용한 경우

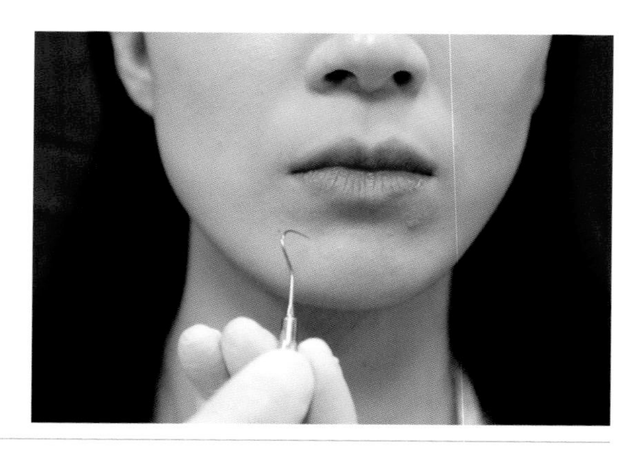

6-4 **유해자극의 평가**

(4) 실습 기구 및 재료[표 6-1]

표 6-1 실습 기구 및 재료 목록

	품목	규격	수량	특기사항
1	치과진료의자		1대	공용
2	기구트레이	○x○cm	1개/명	
3	구강경		1개/명	
4	러버글러브	Large, 100 ea/박스	1 box, 1 ea/명	
5	러버글러브	Medium, 100 ea/박스	1 box, 1 ea/명	
6	러버글러브	Small, 100 ea/박스	1 box, 1 ea/명	
7	면봉	100개/팩		기본 검사 재료
8	거즈	100개/팩		기본 검사 재료
9	핀셋	○x○cm		기본 검사 재료
10	탐침자	○x○cm		기본 검사 재료
13	의료폐기물수거함		1개	공용

(5) 검사 결과 해석

정상인 경우, 무해자극이나 유해자극에 대한 좌우 검사 부위 반응에 차이가 없다. 편측의 감각저하나 통증을 호소하는 경우 삼차신경의 해당 분지에 이상 소견이 있음을 시사한다.

① 무감각(anesthesia): 모든 감각자극에 대한 반응이 완전히 상실된 상태

② 감각저하(hypoesthesia): 감각자극에 대한 반응이 일부 저하된 상태

③ 이질통(allodynia): 가벼운 접촉(무해자극)에도 통증을 느끼는 상태

④ 불쾌감각(dysesthesia): 비정상적인 감각으로 자발적으로 혹은 감각자극에 대해 화끈거리거나 따끔따끔 쑤시는 불쾌한 통증을 의미

⑤ 통각과민(hyperalgesia): 통각의 역치가 감소한 상태로 유해자극에 대해 통증 반응이 증가한 상태를 의미

2) 치과치료 후 발생한 삼차신경 손상의 평가

(1) 배경 설명

임플란트 식립, 발치, 신경치료 및 마취주사 자입과 같은 침습적 치과치료 시 환자는 지속되는 감각저하나 통증 같은 이상감각을 보일 수 있다. 이는 치과치료와 관련된 삼차신경 손상의 증상으로 치과의사는 관련 증상을 적절히 평가할 수 있어야 한다. 주로 상악이나 하악에서 시행되는 치과치료는 상악신경이나 하악신경의 손상을 유발할 수 있다. 상악신경 손상이 의심되는 경우 양측 뺨을, 하악신경 손상이 의심되는 경우 양측 아래턱이나 혀를 검사한다.

(2) 검사 목적

삼차신경 손상을 평가하는 목적은 신경 손상과 관련된 병력을 확인하고, 불편감을 호소하는 구강안면부의 감각 저하와 통증의 정도를 평가하기 위한 것이다.

(3) 검사 방법

① 장갑과 마스크를 착용한다.

② 환자에게 자신을 소개한다.

③ 환자의 이름과 생년월일을 확인한다.

④ 검사 전 검사의 목적과 방법을 환자에게 간략하게 설명한다.

⑤ 환자에게 이상감각이 있는 부위를 질문하여 해당 부위를 펜 등으로 표시한다[📷 6-5].

⑥ 무해자극에 대한 반응을 평가하기 위해, 환자의 눈을 감게 한 후, 뺨이나 아래턱 부위의 좌우 대칭 부위에 면봉을 사용하여 가볍게 문지른 후 반응을 관찰한다(비이환측을 먼저 검사한 뒤 이환측을 검사한다).

⑦ 환자에게 이환측이 비이환측(반대측)에 비해 얼마나 둔한지 질문한다(비이환측의 정상 감각을 10, 전혀 감각이 없는 경우를 0이라 했을 때, 이환측 감각이 둔한 정도를 0과 10 사이의 숫자로 표현할 수 있다).

⑧ 유해자극에 대한 반응을 평가하기 위해 환자의 눈을 감게 한 후, 끝이 뾰족한 기구(예: 핀셋, 탐침자)를 사용하여 뺨이나 아래턱의 좌우 대칭 부위를 가볍게 찔러 반응을 관찰한다.

⑨ 환자에게 좌우 감각에 차이가 있는지를 묻고 차이가 있다면, 이환측이 비이환측(반대측)에 비해 얼마나 둔한지 질문한다(비이환측의 정상 통증 감각을 10, 전혀 감각이 없는 경우를 0이라 했을 때, 이환측 감각이 둔한 정도를 0과 10 사이의 숫자로 표현할 수 있다).

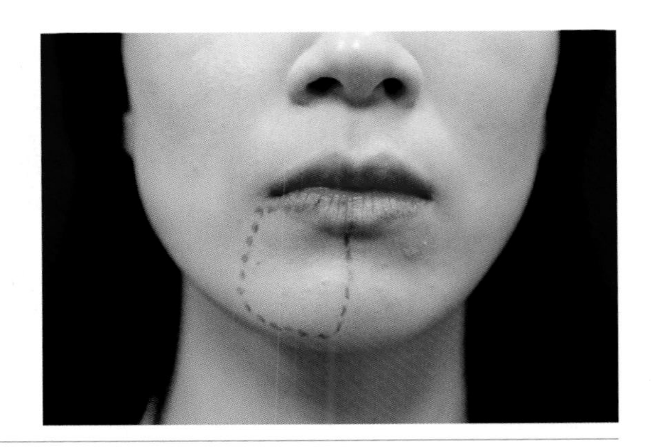

6-5 이상감각 부위의 표시

(4) 임상 증례

64세 남자 환자가 2주 전 #46 임플란트 식립 후 우측 아래턱의 감각저하로 내원하였다. 환자는 우측 아래턱에 마취가 안 풀린 것 같은 둔한 느낌이 지속되며, 식사 중 그 부위에 밥알이 묻어도 잘 인지하지 못해서 불편하다고 하였다. 검사결과는 다음 [6-2]와 같았다. 파노라마 영상은 [6-6]과 같았다.

6-2

	이환측(우측 아래턱)	비이환측(좌측 아래턱)
무해자극 반응	3	10
유해자극 반응	5	10

* 감각의 정도는 Visual Analog Scale [VAS]로 표기

이와 같은 경우 검사 결과의 해석은 다음과 같이 할 수 있다.

이환측인 우측 아래턱의 무해자극과 유해자극에 대한 반응이 비이환측인 좌측 아래턱의 반응보다 저하되어, 침습적 치료인 #46 임플란트 식립과 관련하여 삼차신경 하악분지에 손상이 발생했을 것으로 진단할 수 있다.

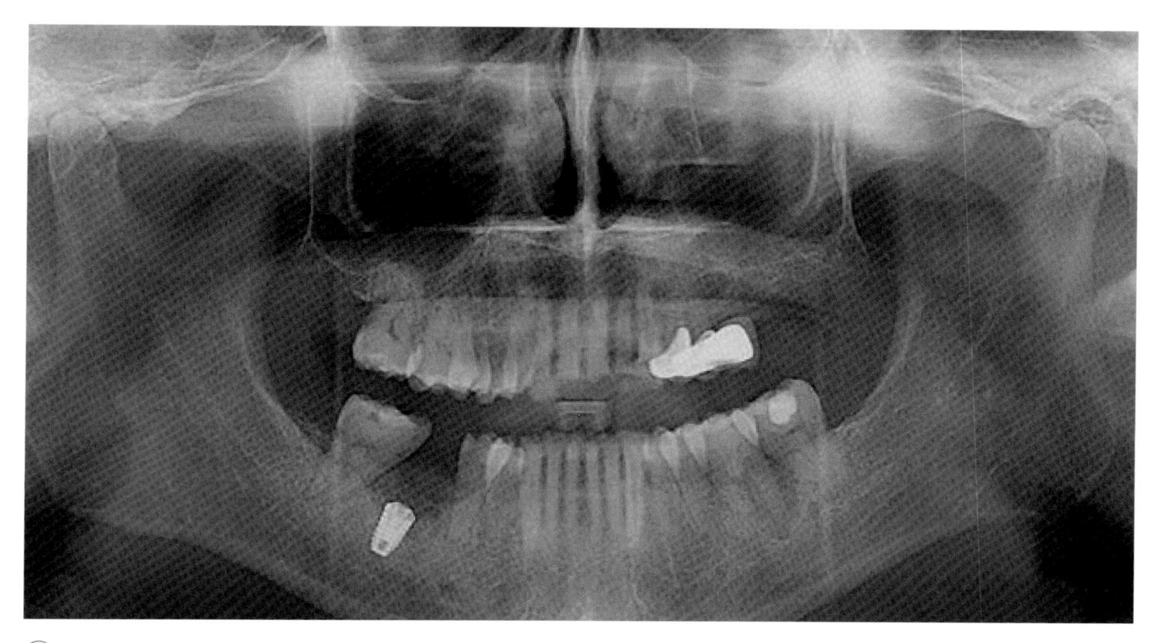

6-6 파노라마 영상

3) 운동신경

(1) 배경 설명

삼차신경의 운동신경은 저작근(교근, 측두근, 내측익돌근, 외측익돌근), 턱목뿔근(mylohyoid muscle), 두힘살근의 앞힘살(anterior belly of digastric muscle), 고막긴장근(tensor tympani muscle), 입천장긴장근(tensor veli palatini muscle)을 지배한다[6-7].

(2) 검사 목적

중추신경계와 저작근육의 장애로 인해 구강안면 영역의 운동이상을 호소하는 환자를 평가하기 위해 시행한다.

(3) 검사 방법

임상에서 주로 사용하는 삼차신경 운동신경의 검사법은 양측 폐구근의 대칭촉진이다. 양측 교근과 측두근에 대칭적으로 손을 대고, 환자에게 치아를 꽉 물게 하여 양쪽 근육이 수축하는 것을 촉진한다[6-8]. 또한 하악의 불수의적 반사(jaw jerk reflex)의 정상 여부를 확인할 수 있다. 환자에게 입을 약간 벌리게 한 후 턱의 정중선에 설압자나 엄지손가락을 대고 가볍게 친다[📷 6-9].

(4) 검사 결과의 해석

반대측 교근(혹은 측두근)에 비해 편측 교근(혹은 측두근)의 수축력이 약한 경우, 이환측 삼차신경의 운동신경 손상을 의심할 수 있다. 편측 운동신경 손상으로 저작근육이 약화된 경우, 턱은 이환측으로 편위된다. 하악의 불수의적 반사 검사에서 정상적으로는 순간적인 폐구 운동이 일어난다[📷 6-9].

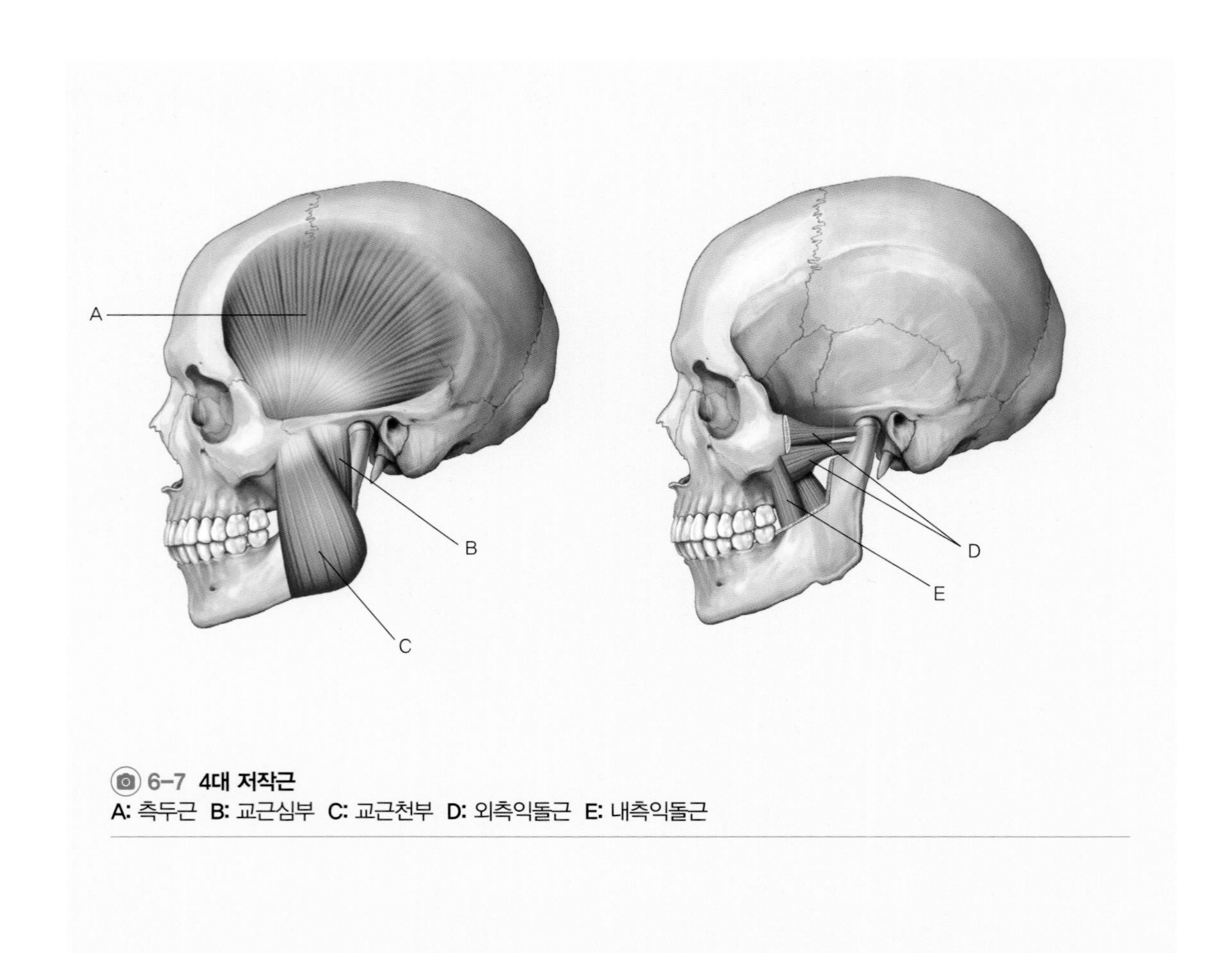

📷 6-7 **4대 저작근**
A: 측두근 B: 교근심부 C: 교근천부 D: 외측익돌근 E: 내측익돌근

출처: 구강안면통증 및 측두하악장애의 평가

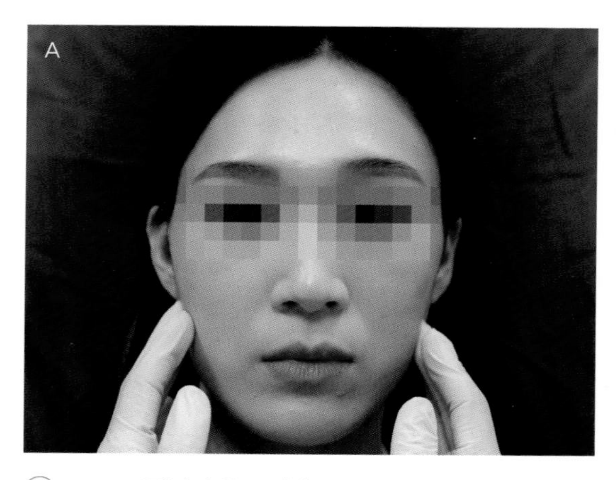

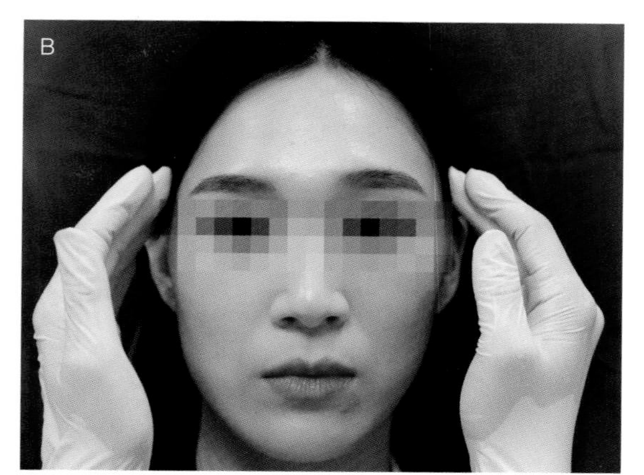

6-8 교근(A)과 측두근(B)의 대칭 촉진법

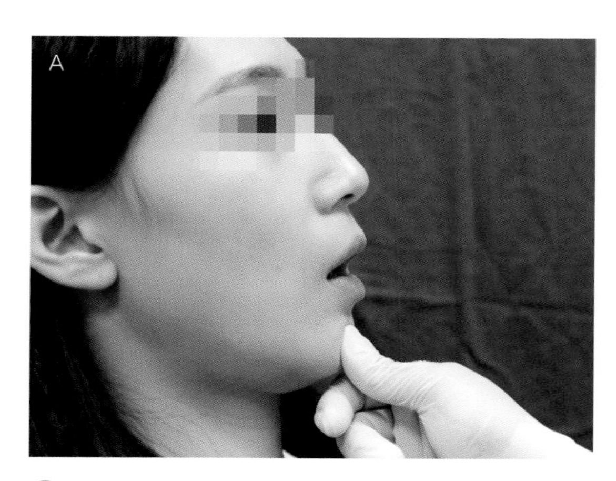

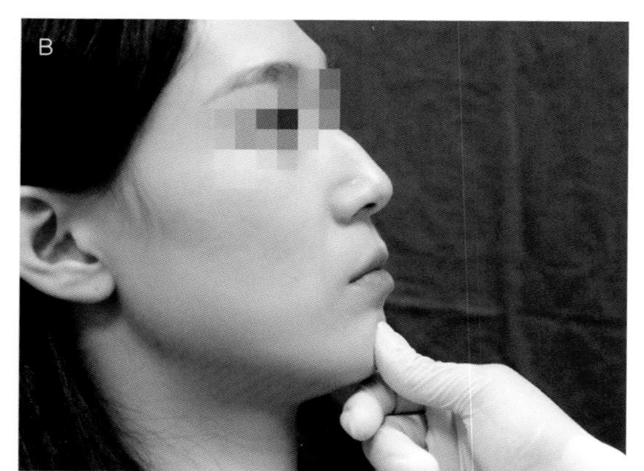

6-9 하악의 불수의적 반사

2. 얼굴신경(안면신경, Facial Nerve)

1) 해부 및 생리

얼굴신경은 주로 ① 얼굴표정근을 지배하는 운동신경과 ② 혀 앞쪽 2/3 부분의 미각을 담당하는 특수감각 신경 및 ③ 눈물샘, 코샘, 입천장샘, 혀밑샘, 턱밑샘의 분비에 관련되는 부교감신경으로 구성되며, ④ 귀 구조물과 관련된 좁은 영역의 일반감각도 담당하고 있다.

얼굴 근육의 수의적인 운동에 대한 신호는 대뇌피질(대뇌겉질, cerebral cortex)에서 시작하고 corticobulbar tract를 따라 하행하며 다리뇌(교뇌, pons)에 있는 같은쪽과 반대쪽의 얼굴신경 운동핵에 투사된다. 위운동신경세포(upper motor neuron)로부터의 신호는 위쪽 얼굴 근육을 지배하는 운동신경핵의 일부에는 양쪽으로 투사되고 아래쪽 얼굴 근육을 지배하는 운동신경핵의 일부에는 반대쪽으로 투사된다[Ⓞ 6-10]. 즉, 이마근(전두근, frontalis)을 지배하는 아래운동신경세포(lower motor neuron)는 양쪽 뇌의 대뇌피질로부터 신호를 받지만, 나머지 얼굴표정근을 지배하는 아래운동신경세포는 반대측 대뇌피질로부터만 신호를 받는다.

얼굴신경은 붓꼭지구멍(stylomastoid foramen)을 빠져나와 귀밑샘으로 들어가며 귀밑샘 안에서 많은 가지를 내는데, 다섯 가지의 종말가지로 나뉘어 귀밑샘의 위, 앞, 아래 모서리로 나와서 다음과 같이 분포한다[Ⓞ 6-11, 12].

① 관자가지(temporal branch): 관자놀이, 이마 및 눈확위 부위의 근육
② 광대가지(zygomatic branch): 눈확아래 부위, 가쪽코 부위 및 위입술의 근육
③ 볼가지(buccal branch): 볼, 윗입술 및 입구석의 근육
④ 턱모서리가지(marginal mandibular branch): 아랫입술 및 턱의 근육
⑤ 목가지(cervical branch): 넓은목근(platysma muscle)

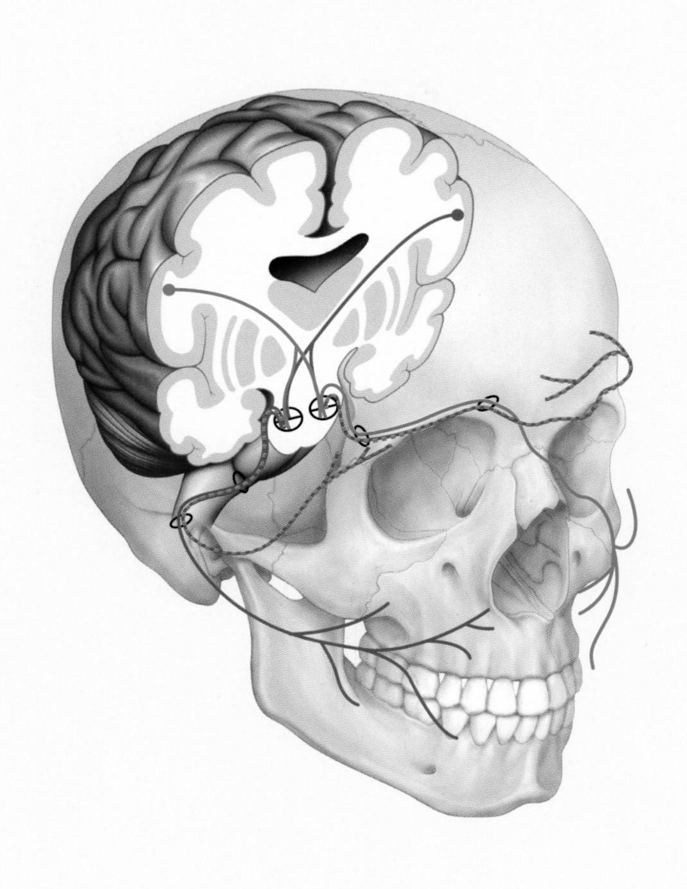

6-10 얼굴신경의 위운동신경세포의 신호 투사 경로

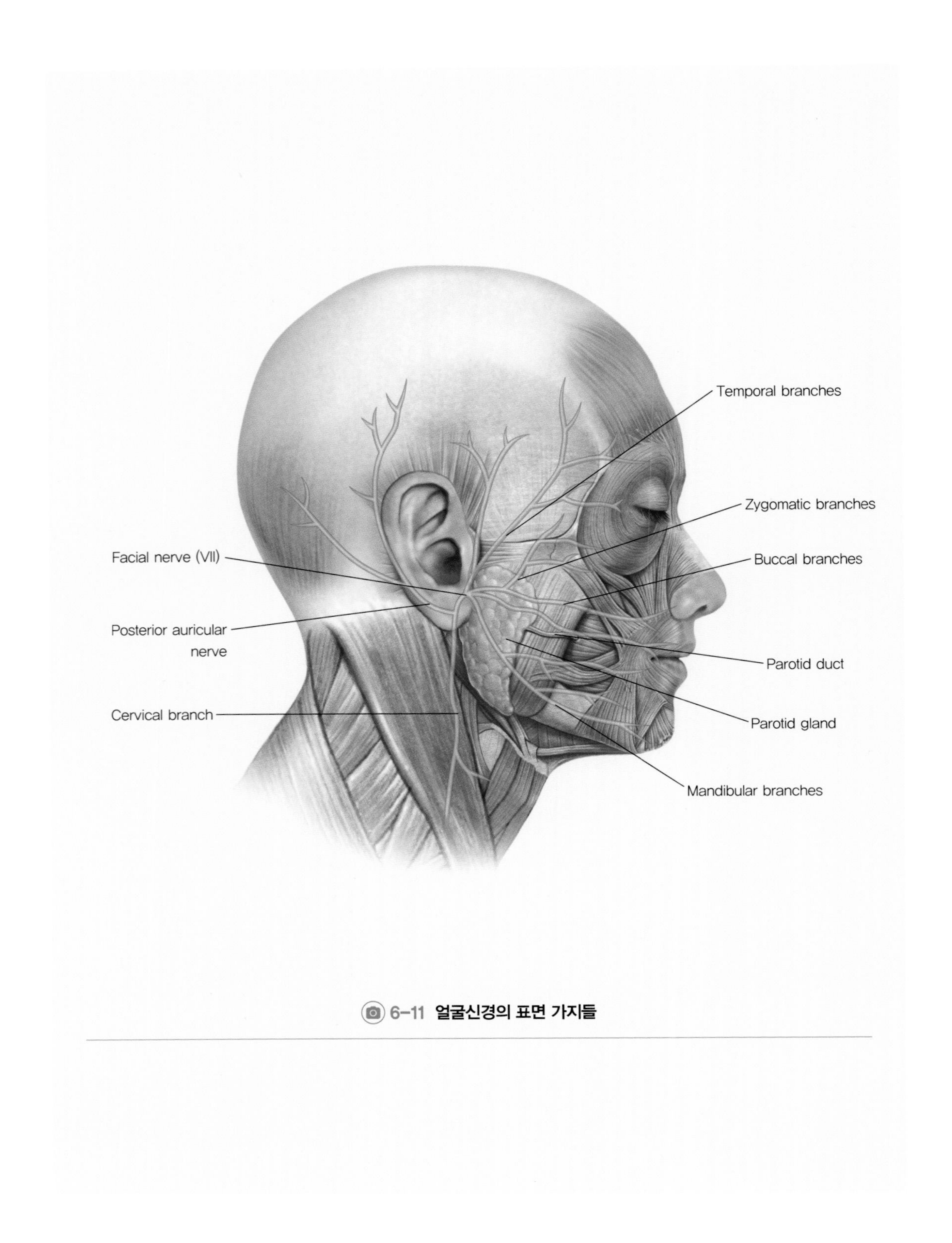

6-11 얼굴신경의 표면 가지들

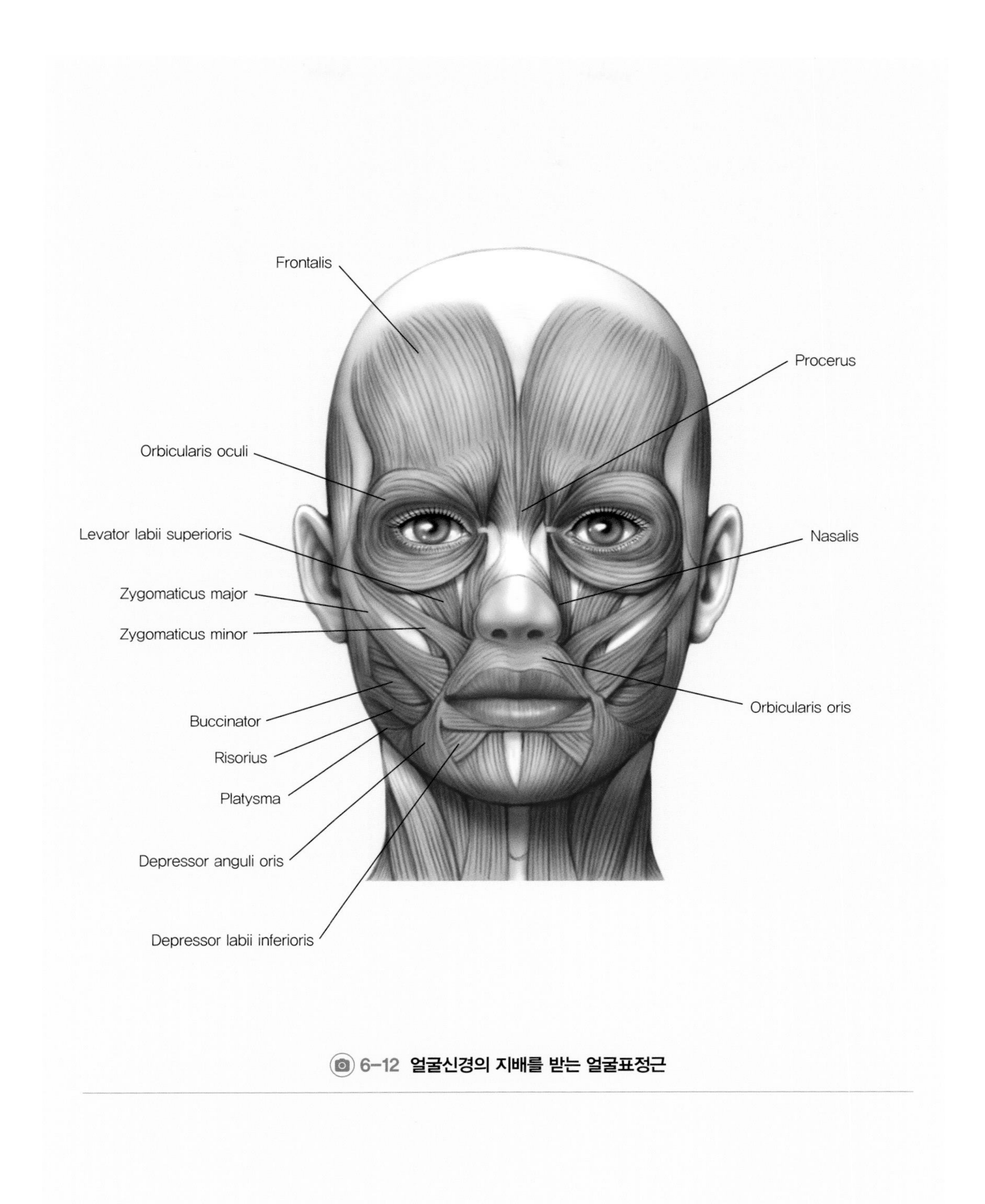

6-12 얼굴신경의 지배를 받는 얼굴표정근

입안에서의 맛은 음식물이 맛봉오리(taste bud)의 미각수용기 세포와 접촉하면서 감지된다. 맛봉오리는 혀, 물렁입천장(연구개, soft palate), 인두, 후두, 후두덮개, 목젖(구개수, uvula), 식도의 위쪽에 분포하고 있다. 유두 중에서 잎새유두(foliate papillae), 버섯유두(fungiform papillae), 성곽유두(circumvallate papillae)에는 맛봉오리가 포함되어 있으나 실유두(filiform papillae)에는 포함되어 있지 않다. 맛봉오리로부터 감지된 맛 신호는 얼굴신경, 혀인두신경(설인신경, glossopharyngeal nerve), 미주신경에 의해서 중추로 전달된다. 버섯유두 및 앞쪽의 잎새유두에 있는 맛봉오리와 입천장에 있는 맛봉오리의 대부분은 얼굴신경에 의해서 지배를 받으며, 뒤쪽의 잎새유두와 성곽유두에 있는 맛봉오리는 혀인두신경의 지배를 받는다. 그 밖에 인두, 후두, 후두덮개, 목젖 등에 있는 맛봉오리는 미주신경의 지배를 받는다[📷 6-13]. 얼굴신경의 특수감각이 지배하는 혀 앞쪽 2/3 부분의 맛봉오리로부터의 신호는 고실끈신경(chorda tympani nerve)을 통하여, 물렁입천장에 있는 맛봉오리로부터의 신호는 큰바위신경(greater petrosal nerve)을 통하여 중추로 전달된다.

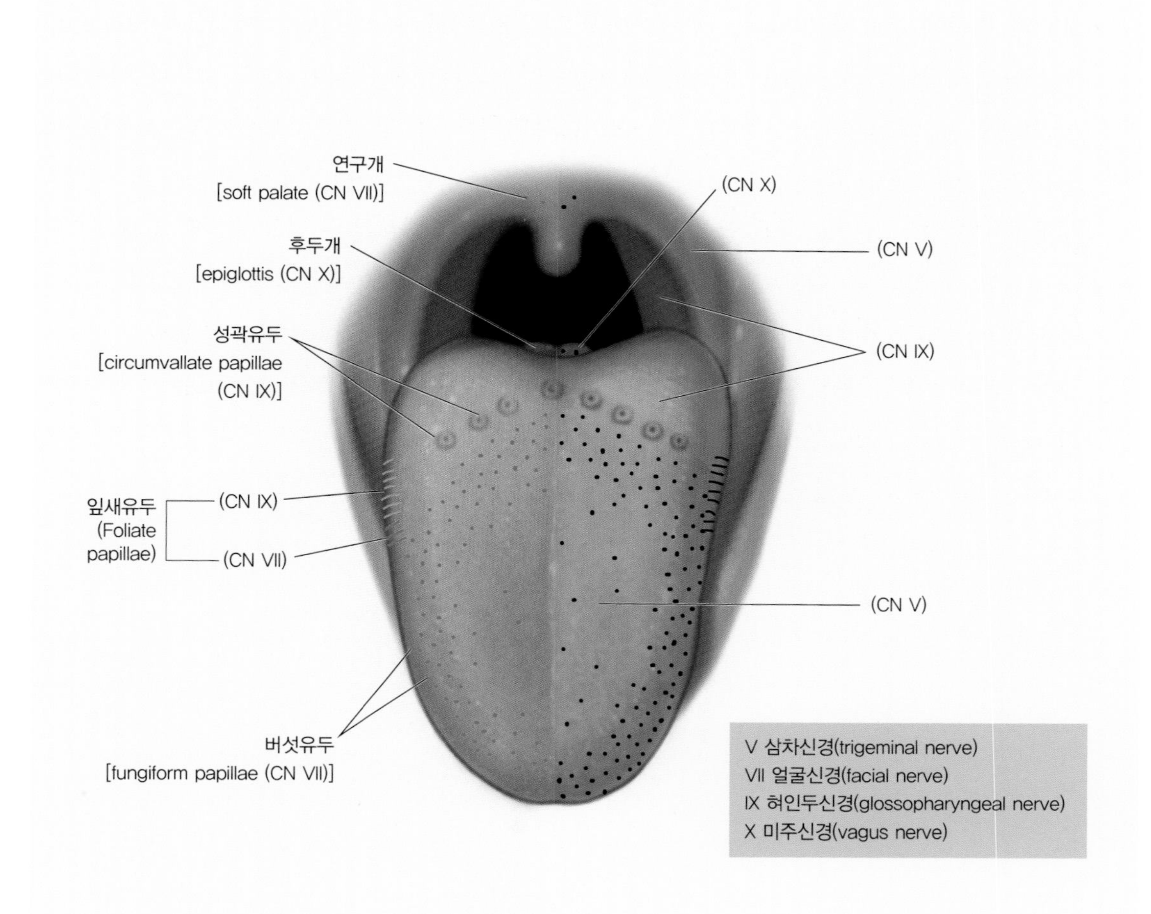

6-13 맛봉오리의 분포와 신경 지배(왼쪽) 및 입안 상피의 신경 지배(오른쪽)

2) 운동기능(motor function)의 검사 및 평가

(1) 얼굴 전체 모습을 관찰하여 다음과 같은 사항을 평가한다.

① 눈을 제대로 잘 깜박이는지 여부를 확인한다. 정상은 양쪽 눈을 함께 동시에 깜박인다.

② 입이 한쪽으로 비뚤어져 있는지 여부를 확인한다. 정상은 입이 비뚤어지지 않고 대칭적인 모양을 보인다.

③ 코입술주름(nasolabial fold)이 펴져 있지 않은지 여부를 확인한다. 정상은 양쪽 모두에 코입술주름이 있다.

(2) 피검사자에게 다음과 같은 동작을 취하도록 한다.

① 이마근(frontalis) 평가

눈썹을 위로 올리게 하거나 위쪽을 쳐다보아 이마에 주름을 짓게 한다. 이마에 대칭으로 주름이 생기면 정상이다.

② 입둘레근(orbicularis oris) 평가

피검사자로 하여금 볼을 부풀게 한다. 정상적으로는 입안의 공기가 새어 나오지 않는다. 또한 미소를 짓거나 앞니를 내보이도록 한다. 습관적으로 편위가 있는 환자를 제외하면, 정상적으로는 좌우가 대칭적이고 양쪽이 같은 정도의 이를 내보이는 미소를 지을 수 있다.

(3) 검사자가 직접 피검사자의 운동기능을 검사할 수 있다.

① 눈둘레근(orbicularis oculi) 평가

눈을 꼭 감고 있도록 하고 검사자는 감은 눈을 손가락으로 뜨게 해본다. 정상적으로는 검사자가 피검사자의 눈을 뜨게 할 수 없다.

② 볼근과 입둘레근(buccinator and orbicularis oris) 평가

피검사자가 입술을 내밀면서 꼭 다물게 한다. 정상적으로는 검사자가 피검사자의 입술을 벌릴 수 없다.

(4) 얼굴표정근 마비의 해석

벨마비(Bell's palsy)에서와 같이 아래운동신경세포 병소(lower motor neuron lesion)가 있는 경우 같은쪽의 위아래 전체의 얼굴표정근에서 마비가 나타난다. 뇌졸중(stroke)에서와 같

이 위운동신경세포 병소(upper motor neuron lesion)의 경우는 반대쪽의 아래 부위의 얼굴 표정근에서 마비가 나타난다[📷 6-14]. 즉 한쪽의 얼굴신경핵 아래쪽에 병소가 있을 경우에는 같은쪽 얼굴에 전반적으로 마비가 나타나지만, 한쪽의 얼굴신경핵 위쪽에 병소가 있을 경우 같은쪽의 이마에 어느 정도 주름을 지을 수 있다.

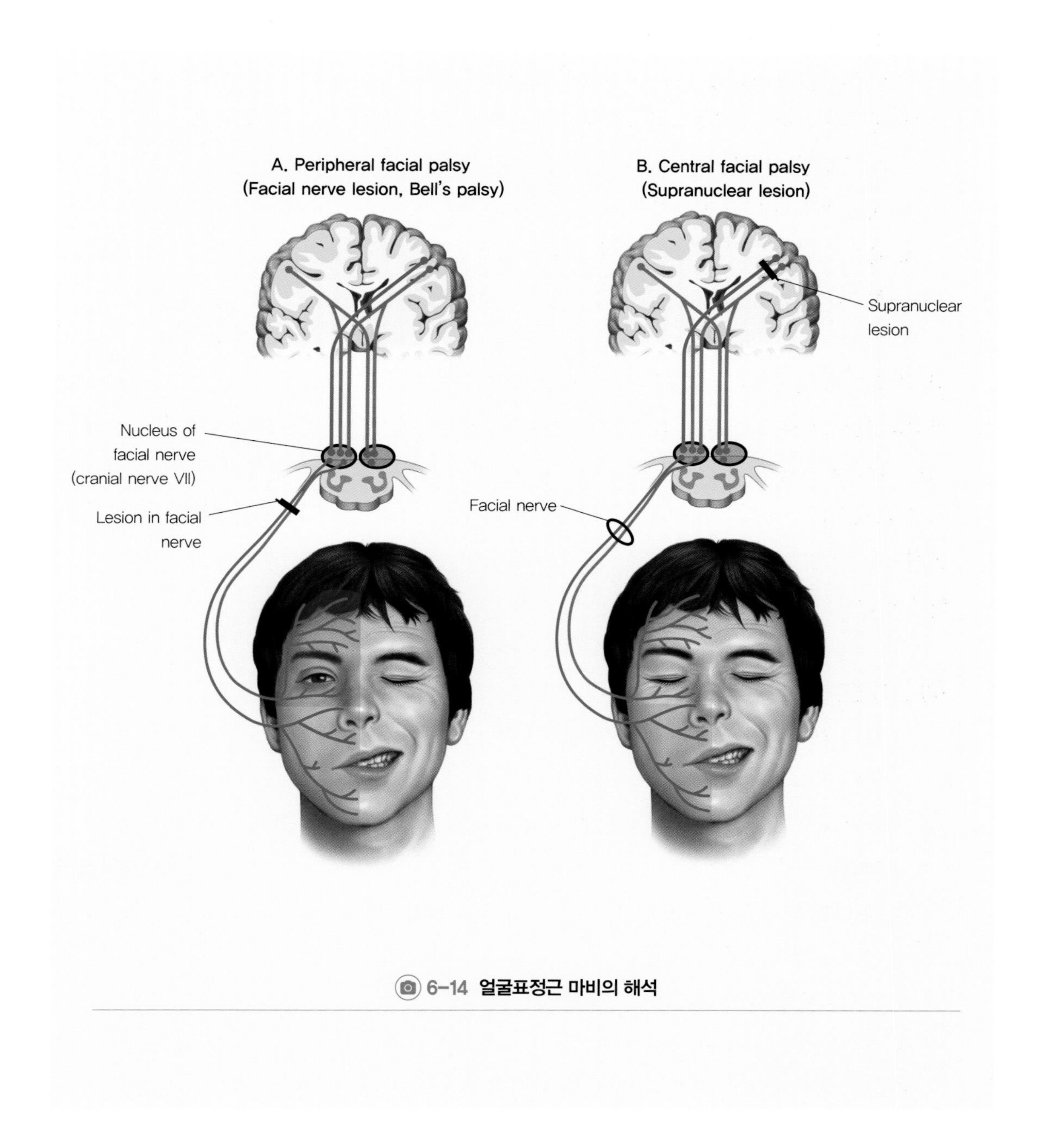

📷 6-14 **얼굴표정근 마비의 해석**

3) 미각기능(taste function)의 검사 및 평가

(1) 미각검사의 종류

① 정성적 검사: 맛의 종류를 알아내는 검사로서 미각상실(ageusia)이나 미각착오(parageusia)의 진단에 유용하다.

② 정량적 검사: 맛을 느끼는 농도나 맛의 강도를 측정하는 검사로서 미각저하(hypogeusia)나 미각과민(hypergeusia)의 진단에 유용하다.

③ 전기 미각검사: 국소적인 검사법으로서 맛봉오리에 있는 미각신경의 생활력을 검사해서 손상된 신경을 확인하는 데 도움이 된다. 그러나 정성적 평가가 불가능하고 구강에 대한 전체적인 평가가 어렵다.

④ 화학 미각검사: 정성적 검사와 정량적 검사를 모두 할 수 있으며 국소 미각검사와 전구강 미각검사를 모두 할 수 있다.

네 가지 기본 맛은 미각자극의 발생 기전이나 인체 내에서의 생리적 역할이 서로 다를 뿐만 아니라 병적 상태에서 나타나는 미각장애의 증상도 맛에 따라 개별적으로 나타나기 때문에 서로 독립적인 기능으로 간주한다. 이러한 네 가지 기본 맛에 대하여 미각장애의 진단과 평가를 독립적으로 한다. 네 가지 기본 맛에 대한 미각강도를 측정하기 위해서 흔히 사용하는 물질로는 단맛의 설탕(sucrose), 짠맛의 소금(NaCl), 신맛의 구연산(citric acid), 쓴맛의 퀴닌(quinine HCl) 또는 카페인(caffeine) 등이 있다.

(2) 검사 방법(화학 미각검사)

① 피검사자에게 눈을 감고 코를 막도록 한다. 콧구멍을 막을 때 솜조각을 사용하면 편리하다.

② 단맛, 짠맛, 신맛, 쓴맛이 나는 액체를 각각 준비한다(예: 설탕 용액, 소금 용액, 식초 용액, 커피 원액 등).

③ 첫 번째 검사 용액에 면봉을 적신 다음, 피검사자에게 혀를 내밀게 하여 한쪽 혀 끝부분에 면봉을 접촉시킨다.

④ 피검사자에게 무슨 맛인지 맞추도록 한다.

⑤ 입안을 물로 깨끗이 헹구어내고 검사에 사용한 면봉을 폐기한다.

⑥ 다른 한쪽 혀 끝부분에 대해서도 ③~⑤를 반복하여 검사 결과를 얻는다.

⑦ 나머지 검사 용액에 대해서도 같은 방법으로 검사를 반복하고 결과를 얻는다.

(3) 검사 결과의 평가

미각자극에 대한 미각 감응성이 완전히 상실된 상태를 미각상실(ageusia)이라고 한다. 모든 미각자극에 대하여 미각을 못 느끼는 경우 완전 미각상실(total ageusia), 일부 미각자극에 대하여 미각을 못 느끼는 경우 부분 미각상실(partial ageusia)이라고 판단한다. 일반적으로 미각상실이 있다면 단맛에 대하여 미각이 먼저 소실된다.

4) 실습 기구 및 재료

얼굴신경의 운동기능과 미각기능을 검사하기 위하여 다음 [표 6-3]에서와 같이 기구와 재료를 준비한다.

미각검사에서는 단맛을 내는 자극물질 중 구하기 쉬운 한 가지를 기본 검사 재료로 포함한다(예: 설탕 용액). 필요에 따라 다른 맛을 내는 자극물질을 추가로 준비한다.

표 6-3 실습 기구 및 재료 목록

	품목	규격	수량	특기사항
1	치과진료의자		1대	공용
2	기구트레이		1개/명	
3	구강경		1개/명	
4	러버글러브	Large, 100 ea/박스	1 box, 1 ea/명	
5	러버글러브	Medium, 100 ea/박스	1 box, 1 ea/명	
6	러버글러브	Small, 100 ea/박스	1 box, 1 ea/명	
7	단맛 자극물질	설탕 용액		기본 검사 재료
8	짠맛 자극물질	소금 용액		상황에 따라 추가
9	신맛 자극물질	식초 용액		상황에 따라 추가
10	쓴맛 자극물질	커피 원액		상황에 따라 추가
11	면봉	100개/팩		
12	종이컵			
13	의료폐기물수거함		1개	공용

치과의사 국가시험 실기시험 평가목표

2. 구강악안면 뇌신경 기능 검사

평가목표

환자의 구강악안면 뇌신경 기능을 검사하고 검사 결과를 해석하여 설명할 수 있는지 평가한다.

핵심 평가 요소

1. 환자의 증상과 연관된 신경을 정확히 감별하는가?
2. 지각기능 이상과 운동기능 이상을 평가하는 검사 방법이 정확한가?
3. 검사 결과를 정확히 설명하는가?

Reference

1. 대한안면통증구강내과학회. 구강내과학 제 1편 구강병의 진단과정 및 치료계획. 신흥인터내셔날; 2010. pp 65-68.
2. 대한안면통증구강내과학회. 구강내과학 제 3편 구강연조직 질환의 진단과 치료. 신흥인터내셔날; 2010. pp 202-209.
3. 대한안면통증구강내과학회. 구강내과학 제 4편 구강안면통증과 측두하악장애. 예낭아이앤씨; 2012. pp 126-128.
4. Drake RL 외(지은이). 조희중 외(옮긴이). Gray 새로운 해부학. 엘스비어코리아; 2007. pp 823. 1023.
5. Wilson-Pauwels L. Stewart PA. Akesson EJ. Spacey SD. Cranial Nerves: Function and Dysfunction. 3rd ed. PMPH USA; 2010. pp. 119-141.
6. Tiemstra JD. Khatkhate N. Bell's palsy: diagnosis and management. Am Fam Physician. 2007;76(7):997-1002.
7. Hawkes CH. Doty RL. Smell and Taste Disorders. 1st ed. Cambridge University Press; 2018. pp. 47-52. 138-140. 248-249.
8. 한국보건의료인국가시험원. 치과의사 국가시험[실기] 평가목표. 2017.12.13.

ORAL

MEDICINE

구강내과학

CHAPTER

턱관절 탈구 시 정복술

1. 개요
2. 턱관절 탈구의 정의 및 분류
3. 턱관절 전방 탈구의 증상 및 진단
4. 턱관절 전방 탈구 정복술
5. 턱관절 전방 탈구 정복 후의 처치

ORAL MEDICINE

턱관절 탈구 시 정복술

Mandibular reduction

1 개요

환자가 턱관절 탈구로 치과에 내원하거나 치과 치료 시 턱관절 탈구가 발생할 수도 있으므로 치과의사로서 턱관절 탈구에 대한 기본적인 지식을 이해하고 턱관절 탈구를 정복할 수 있는 능력을 갖추는 것은 필수적이다. 급성 턱관절 탈구 발생 시 빠른 시간 내에 정복하지 않으면 재발성 탈구 또는 만성 탈구로 이행될 수 있으므로 턱관절 탈구 정복술을 적절하게 시행하고 주의사항 지도 및 약 처방 등 적절한 후처치를 시행할 수 있는 능력을 갖추어야 한다.

2 턱관절 탈구의 정의 및 분류

1. 턱관절 탈구의 정의

턱관절 아탈구[temporomandibular joint (TMJ) subluxation]와 턱관절 탈구(TMJ luxation, TMJ dislocation)는 미국구강안면통증학회(American Academy of Orofacial Pain)의 턱관절질환의 분류

에 따르면 과운동질환(hypermobility disorders)에 해당한다. 과운동질환은 크게 개구 시 하악과두(mandibular condyle)가 관절융기(articular eminence)의 능선(crest)보다 전방에 위치하여 입을 다물지 못 하는 상태로 환자 스스로 자가정복이 가능한 경우를 아탈구, 환자 스스로 자가정복이 불가능하고 술자에 의해 정복이 가능한 경우를 탈구라고 한다.

턱관절 탈구는 하악과두가 관절융기(articular eminence)보다 전방에 위치하는 전방 탈구(anterior dislocation)가 주로 발생한다[📷 7-1].

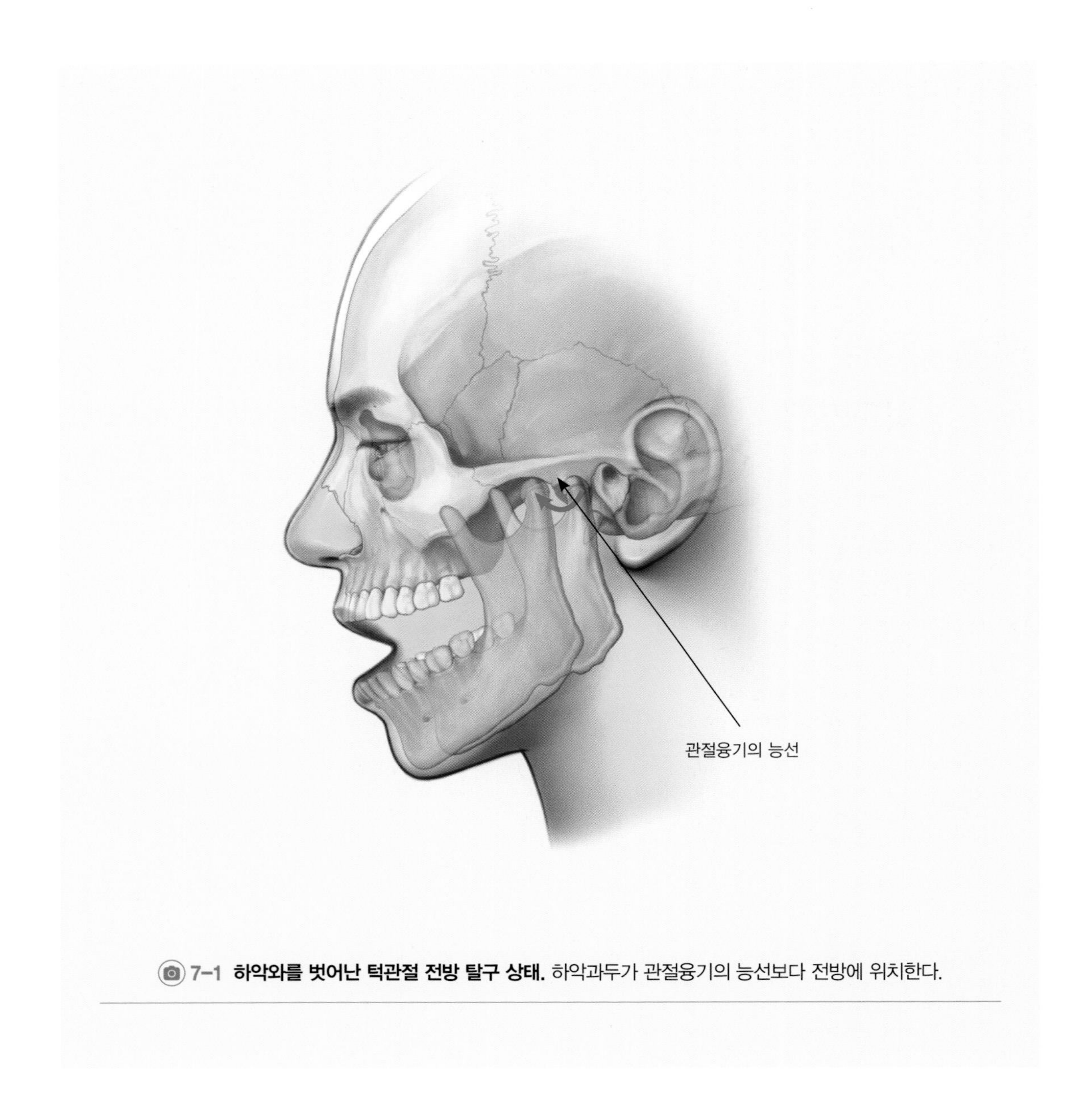

📷 7-1 **하악와를 벗어난 턱관절 전방 탈구 상태.** 하악과두가 관절융기의 능선보다 전방에 위치한다.

2. 턱관절 탈구의 분류

턱관절 탈구는 탈구된 위치에 따라 양측 탈구(bilateral dislocation)와 편측 탈구(unilateral dislocation)로 분류할 수 있다. 턱관절 탈구의 경우 대부분 양측성으로 발생한다. 또한 탈구되는 방향에 따라 전방 탈구(anterior dislocation), 후방 탈구(posterior dislocation), 내측 탈구(medial dislocation), 외측 탈구(lateral dislocation), 상방 탈구(superior dislocation)로 분류할 수 있으나 전방 탈구가 가장 흔히 발생한다. 전방 탈구 외에는 대부분 외상으로 인한 골절로 인해 발생하는 경우이다. 탈구 기간 및 재발 여부에 따라서는 급성(acute), 재발성(chronic recurrent), 만성(chronic protracted)으로 분류할 수 있다.

여기에서는 도수정복으로 정복이 가능한 급성 또는 재발성 전방 탈구에 한정하여 다루도록 하겠다.

3 턱관절 전방 탈구의 증상 및 진단

턱관절 전방 탈구는 임상적으로 진단한다. 턱관절 전방 탈구가 발생하면 입을 다물지 못하고, 입을 더 크게 벌리는 것 외에는 아래턱을 움직이기 어려우며, 말을 잘 하지 못한다. 또한 탈구된 턱관절 부위에 통증을 호소하며, 하악와 내에 하악과두가 존재하지 않으므로 귀구슬(tragus) 바로 전방부가 움푹 들어간 양상이 관찰되고, 아래턱이 앞으로 돌출된 양상을 나타낸다. 편측 탈구 시에는 아래턱이 이환된 반대쪽으로 틀어진 양상을 나타낸다[7-2].

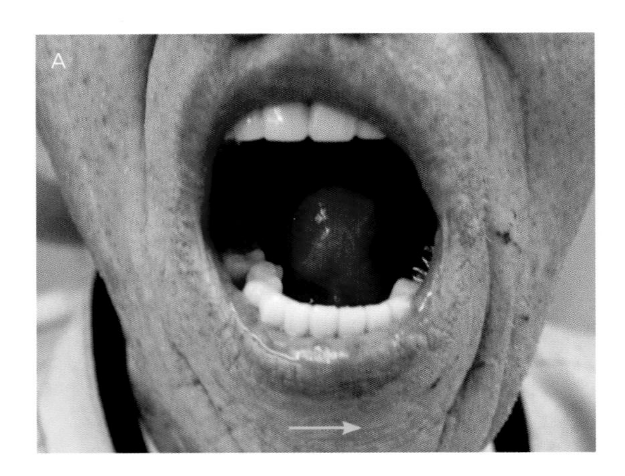

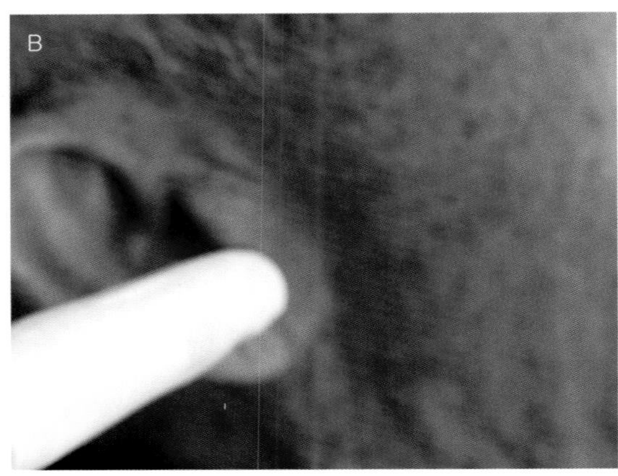

7-2 오른쪽 턱관절이 탈구된 상태의 임상 소견. 입을 다물지 못하고 아래턱이 반대편(A)으로 변위되어 있으며, 오른쪽 귀 구슬 바로 전방부가 움푹 들어간 양상이 관찰된다(B).

확실한 진단을 위해서는 파노라마 방사선사진 촬영을 하여 하악과두가 관절융기 능선보다 전방에 위치하는지 확인한다. 특히 입을 크게 벌리다가 발생하지 않고 외상 이후에 발생한 경우에는 콘빔전산화단층촬영(cone beam computed tomography. CBCT)을 하여 골절이 없는지 확인해야 한다.

참고로 제8차 한국표준질병사인분류에 의해 진단서에 병명을 기재할 때 급성 전방 탈구는 턱의 탈구(S03.0 dislocation of jaw)에 해당하며, 아탈구 및 재발성 전방 탈구는 턱관절의 재발성 탈구 및 아탈구(K07.62 recurrent dislocation and subluxation of temporomandibular joint)에 해당한다.

턱관절 탈구 정복술

1. 턱관절 탈구 정복술의 원칙

양측 탈구의 경우 양쪽을 동시에 정복할 수도 있으나 한 번에 한쪽 턱관절을 정복하는 것이 종종 더 쉽다. 턱관절 탈구를 성공적으로 정복하기 위해서는 다음과 같은 원칙을 따르는 것이 좋다.

1) 술자와 환자의 위치 관계

아래턱에 충분한 압력을 가할 수 있는 위치와 자세로 정복을 시도해야 효과적으로 정복할 수 있다.

술자가 환자 앞에 서서 환자의 머리가 벽이나 치과치료의자(dental chair)의 머리받침(head rest)에 고정되게 하고 정복하기 위한 힘을 발휘하기 쉬운 술자의 손 위치에 환자의 아래턱이 위치하도록 한다. 즉, 환자의 아래턱이 술자의 팔꿈치보다 아래쪽에 위치하도록 한다(술자가 팔꿈치를 90도로 굽혔을 때 술자의 아래팔과 같거나 낮은 높이에 환자의 아래턱이 위치되어야 탈구를 정복하기에 충분한 힘을 발휘할 수 있다). 치과치료의자의 높이를 최대한 낮춰도 이러한 위치 관계를 만들기 어려운 경우에는 치과치료의자를 뒤로 기울여서 높이를 조절하거나[7-3], 등받이가 있는 낮은 의자를 이용한다. 등받이가 없는 의자의 경우에는 벽에 기대게 하여 고정시킨 후 정복을 시도한다.

2) 폐구근의 이완

정복을 시도하는 중에 환자에게 몸에 힘을 빼게 하고, 입을 다물려고 하지 말고 오히려 더 벌리라고 지시해야 한다. 입을 다물려고 하면 폐구근을 수축시켜 정복을 더 어렵게 할 수 있다. 환자에게 입을 더 크게 벌리게 지시하면 폐구근의 이완을 유도할 수 있어 정복에 도움이 될 수 있다. 환자가 불안해하면 대화를 통해 불안감을 줄여 주는 것이 근긴장도를 낮출 수 있다. 턱관절 통증이 심하면 저작근의 경련을 유발하여 정복을 어렵게 할 수 있으므로 통증 때문에 정복이 잘 되지 않는 경우 턱관절 부위에 국소마취를 시행하고 정복을 시도하는 것이 도움이 될 수 있다.

2. 턱관절 탈구 정복술의 과정: 통상적인 방법(Classic reduction technique)

1) 마스크를 착용하고 글러브를 낀다.

2) 환자를 치과치료의자(dental chair)에 앉게 한 후 머리받침(head rest)에 머리가 고정되도록 뒤로 기대게 한다.

3) 술자가 환자 앞에 선다.

4) 술자가 손을 들어 팔꿈치를 90도로 굽혔을 때 환자의 아래턱이 술자의 팔꿈치 높이와 같거나 낮은 높이에 위치하도록 치과진료의자의 높이 및 기울기를 조절한다[7-3].

5) 갑작스러운 폐구로부터 손을 보호하기 위해 거즈로 엄지손가락을 감싼다.

6) 양쪽 하악 대구치 부위에 엄지손가락을 올리고(가능한 한 최후방으로 위치시키도록 한다) 나머지 네 손가락으로는 아래턱을 감싼다.

7) 환자에게 긴장하지 말고 몸과 턱에 힘을 빼라고 지시한다.

8) 지렛대의 힘(levering force)을 이용하듯이 엄지손가락으로 대구치 부위를 하악각(mandibular angle) 방향으로 내리는 힘을 가하면서 약간 후방으로 힘을 가하고, 전치부 쪽에서는 세 번째 및 네 번째 손가락을 이용하여 환자의 턱끝(mentum) 하방을 약간 위로 들어 올리는 힘을 준다[7-4].
아래로 내리는 힘이 주된 힘이며 갑작스럽게 힘을 주기보다는 압력을 서서히 증가시켜 경직된 폐구근의 힘을 극복할 수 있을 정도의 충분한 힘을 지속적으로 가해야 한다.

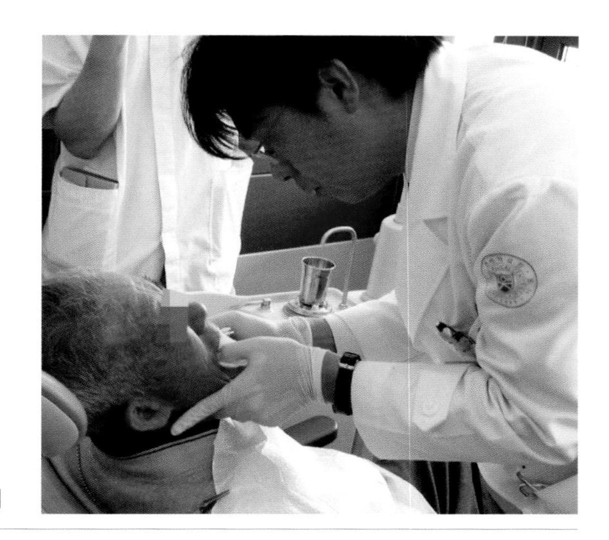

7-3 턱관절 전방 탈구 정복 시 술자와 환자의 위치 관계

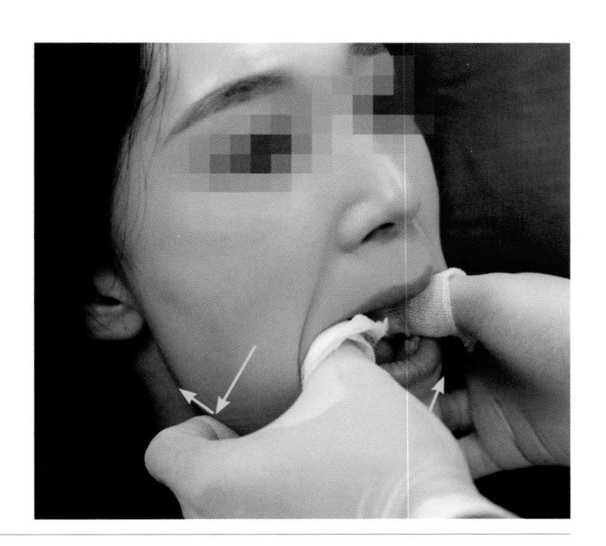

7-4 통상적인 방법에 의한 턱관절 탈구 정복 시 손가락의 위치와 힘을 가하는 방향

표 7-1 실습 기구 및 재료 목록

	품목	규격	수량	특기사항
1	치과진료의자 또는 높이 조절이 가능한 의자		1개	공용
2	마네킨		1개	공용
3	덴탈마스크		1개/명	
4	러버글러브	Large	1쌍/명	
5	러버글러브	Medium	1쌍/명	
6	러버글러브	Small	1쌍/명	
7	거즈			

3. 통상적인 방법으로 정복되지 않는 경우 시도할 수 있는 방법

통상적인 방법으로 정복되지 않는 경우 후방접근법(posterior approach), 손목을 축으로 이용한 방법(wrist pivot method), 구강외 정복술(external method), 구역반사 유발 방법(gag reflex method) 등을 이용해 볼 수 있다.

5 턱관절 전방 탈구 정복 후의 처치

2일 동안은 턱관절 부위에 찬 찜질(5분간 시행하고 30분 이상 쉬는 것을 반복)을 하도록 하고, 그 이후에는 따뜻한 찜질(하루 1-2회, 10-15분간 시행, 피부 손상의 가능성이 있으니 너무 뜨겁게 하지 않도록 주의)을 하도록 지도한다.

소염진통제 및 근이완제를 1주 정도 처방한다. 소염진통제는 통증이 없으면 3일 정도만 복용한다.

입을 크게 벌리면 턱관절 전방 탈구가 다시 발생할 수 있으니 입을 크게 벌리지 않도록 지도하고, 최소 1주 이상 딱딱하고 질긴 음식 먹는 것을 피하도록 한다. 가능한 수개월 이상 턱이 빠지지 않도록 크게 벌리는 것을 피하고 하품을 할 때도 고개를 앞으로 숙이거나 턱 밑에 손을 가볍게 받쳐 입이 크게 벌어지지 않도록 주의한다.

재발성 탈구의 경우 탄력붕대(elastic bandage)를 1주일간 사용하도록 할 수 있다[7-5].

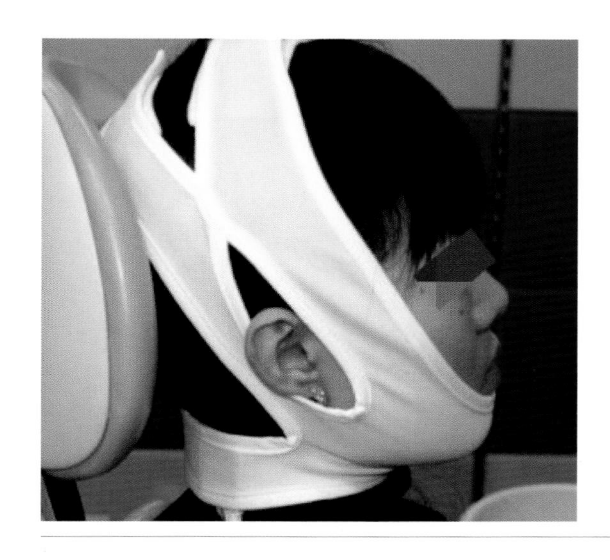

7-5 탄력붕대(기성품)를 착용한 모습

Reference

1. de Leeuw R, Klasser GD. Orofacial pain: guidelines for assessment, diagnosis, and management. 6th ed. Berlin: Quintessence; 2018.
2. Matthews NS. Dislocation of the temporomandibular joint: a guide to diagnosis and management. 1st ed. Cham, Switzerland: Springer; 2018.
3. Akinbami BO. Evaluation of the mechanism and principles of management of temporomandibular joint dislocation. Systematic review of literature and a proposed new classification of temporomandibular joint dislocation. Head & Face Medicine 2011;7(1):10.
3. Lowery LE, Beeson MS, Lum K. The wrist pivot method, a novel technique for temporomandibular joint reduction. The Journal of emergency medicine 2004;27(2):167–170.
4. Hammersley N. Chronic bilateral dislocation of the temporomandibular joint. British journal of oral & maxillofacial surgery 1986;24(5):367–375.
5. Luyk NH, Larsen PE. The diagnosis and treatment of the dislocated mandible. The American journal of emergency medicine 1989;7(3):329–335.
6. Liddell A, Perez DE. Temporomandibular joint dislocation. Oral and maxillofacial surgery clinics of North America 2015;27(1):125–136.
7. Chan TC, Harrigan RA, Ufberg J, Vilke GM. Mandibular reduction. The Journal of emergency medicine 2008;34(4):435–440.
8. Perez DE, Wolford LM. Contemporary management of temporomandibular joint disorders. Oral and maxillofacial surgery clinics of North America 2015;27(1):ix–ix.
9. Chen Y, Chen C, Lin C. A safe and effective way for reduction of temporomandibular joint dislocation. Annals of Plastic Surgery 2007;58(1):105–108.
10. Awang MN. A new approach to the reduction of acute dislocation of the temporomandibular joint: a report of three cases. British journal of oral & maxillofacial surgery 1987;25(3):244–249.